Tous les styles
de la Renaissance à nos jours

Les meubles

Tous les styles de la Renaissance à nos jours

Sous la direction de
Riccardo Montenegro

SOLAR

Titre original de cet ouvrage
MOBILI
Traduction-adaptation
Élisabeth de Lavigne

ISBN : 2-263-01944-8
N° d'éditeur : 2036
Dépôt légal : octobre 1992

Photocomposition : Bourgogne Compo, Dijon
Imprimé en Espagne
D.L.TO:33-1995

SOMMAIRE

AVANT-PROPOS

Cet ouvrage s'adresse à tous ceux qui sont passionnés et curieux d'art, qui souhaitent avoir à portée de main un manuel simple, clair et précis, agrémenté de tableaux, de schémas et d'illustrations ; un livre qui leur soit une aide précieuse lorsqu'il s'agit de trouver une réponse aux problèmes pouvant se poser dans un domaine comme celui du commerce des meubles, où formes, décors, noms et dates revêtent une particulière importance.
Mais il se veut aussi un guide pour tous ceux qui désirent enrichir leur sensibilité et leurs connaissances en s'aventurant pour la première fois dans les méandres, souvent tortueux, de la reconnaissance des styles.
Qu'est-ce qui distingue le Louis XV du Louis XVI ? En quoi le Baroque est-il différent du Barocchetto ? Comment distinguer un meuble rococo d'un autre néo-rococo ? Comment sont faits les meubles Art déco ?
Il s'agit moins d'un livre à lire que d'un guide à consulter ; c'est l'instrument idéal pour les amateurs de meubles, auxquels il offre les moyens de répondre à toutes ces questions. Pour cela, il rassemble et catalogue les traits marquants de chaque style, de la Renaissance aux années 50 de notre siècle, dont il présente les décors, les formes, les types, les artisans et les concepteurs les plus représentatifs.
Afin de ne pas alourdir le texte, on a évité de multiplier les divisions historiques, renvoyant à cette fin le lecteur à d'autres ouvrages plus spécifiques ; et l'on a préféré un développement plus schématique, mais indéniablement plus clair, qui a permis de mettre en lumière, dans une rapide succession, les éléments formels et culturels de chaque période et les évolutions du goût qui ont entraîné des transformations stylistiques périodiques.
Les liens entre certains styles, pourtant éloignés, ont été mis en évidence : en ce sens, une attention particulière a été accordée à la mode des chinoiseries qui, pendant plus de deux siècles, s'est développée en parfaite symbiose avec quelques-unes des tendances les plus importantes de toute l'histoire du mobilier.
Ce choix de méthode favorise une rapide comparaison entre les styles, contribue à souligner le rôle des principaux protagonistes de chaque période, dont ont été résumés les faits marquants de la vie et de l'œuvre, et enfin met en lumière les types de meubles les plus représentatifs.
Une série de tableaux permet de rassembler, en les offrant en exemple, les éléments les plus caractéristiques des principaux styles, du Néo-Classicisme au mouvement moderne ; un soin particulier a été porté au choix des nombreux dessins, illustrations et photos, qui présentent, dans la mesure du possible, les pièces les plus belles de chaque période.
On a voulu, enfin, en rassemblant des intérieurs tirés de peintures de différentes époques, restituer aux meubles un souffle de vie, offrir une vision synthétique, et fascinante, de l'évolution des habitations du XVIe siècle à nos jours.

DE L'ANTIQUITÉ AU MOYEN AGE

◆ S'il ne fait aucun doute que, depuis les temps les plus reculés, l'homme a utilisé des meubles pour son confort, leur usage ne peut cependant être attesté qu'à compter de la civilisation égyptienne.
Le culte des morts dans l'Égypte antique – et donc la coutume consistant à déposer dans la tombe du défunt les objets qu'il affectionnait – a permis, en effet, de mettre au jour, la plupart du temps en parfait état de conservation, des meubles de facture parfois tout à fait stupéfiante (en particulier les divers assemblages), aux lignes élégantes et souvent d'une grande richesse de décor.
Chez les Égyptiens, les tabourets sont extrêmement répandus, adoptant souvent une forme cubique avec les pieds droits, ou encore en X, et ils sont généralement pliants pour être facilement transportés. Apparaissent aussi les chaises, à accotoirs et dossier larges, qui les font ressembler à des trônes ; ces derniers sont encore plus grands, pourvus d'un haut dossier et ils sont somptueusement décorés de nombreuses incrustations, de dorures et de sculptures. Les lits sont plus austères, constitués d'une simple natte ou d'un bâti de bois, sur lequel sont fixées des sangles de corde ou de cuir, et recouverts de toiles ou de peaux ; les exemplaires les plus riches sont à pieds ornés d'une bordure peinte.

D'autres types de meubles sont alors en usage : coffrets, tables et repose-pieds, au décor caractéristique, comportant notamment des jambes en forme de taureau ou de lion, des têtes de lions et des oiseaux aux ailes largement déployées.

Le mobilier grec

Le mobilier grec nous est connu essentiellement par sa représentation sur les vases et les reliefs, qui témoigne, souvent avec un grand luxe de détails, de l'importance particulière attachée aux meubles, notamment à l'époque classique. D'abord influencé par le style égyptien, le mobilier grec adopte des types et formes spécifiques au fur et à mesure de l'évolution de la pensée philosophique et de la conception de la vie. La maison, devenue plus accueillante, se remplit de meubles élégants et bien

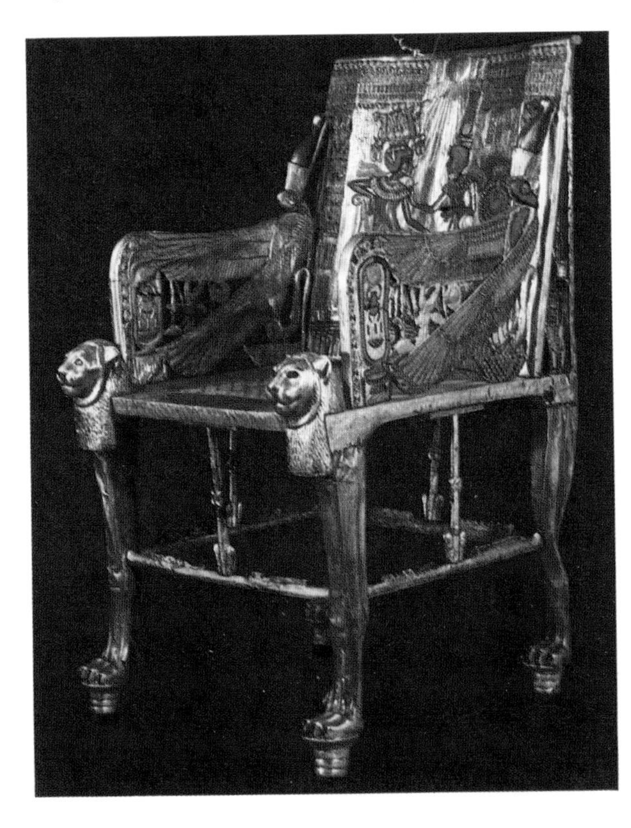

Ci-contre, en haut. Tabouret. *Vers 1250 avant J.-C. De base cubique, il est tendu de fines lattes de bois ; le siège, épousant la forme du corps, est légèrement concave.*

Ci-contre, en bas. Chaise. *Somptueusement et richement décorée, elle provient du tombeau de Toutankhamon (XVIIIe dynastie).*

Ci-dessous. Tablette votive. *Cette superbe figuration grecque montre une femme rangeant le linge dans un coffre richement décoré ; à droite, une chaise vue de profil.*

En bas. Vase. *Ve siècle avant J.-C. On y reconnaît le* klismos, *chaise grecque à pieds évasés, particulièrement répandue.*

proportionnés, dont la fonction n'est plus seulement utilitaire, mais aussi décorative et sociale. Naît ainsi le *kline*, un lit pour s'étendre pendant les repas, composé d'un bâti foncé de bandes de cuir entrelacées et garni d'un matelas. Les pieds peuvent être tournés ou carrés, ornés au sommet d'un chapiteau ; deux des montants dépassent le châssis de façon à former un rebord, sur lequel on peut placer un repose-tête. En Grèce, comme en Égypte, sont répandues les deux versions de tabourets, rigides ou pliants ; la chaise *klismos* est très caractéristique : dépourvue de toute ornementation, à pieds typiquement évasés, à dossier enveloppant et légèrement incurvé ; le fond du siège est formé de sangles de cuir tressé. Les proportions élégantes de cette chaise, sa ligne classique, ont servi de modèle à une infinité de sièges de style Empire, à pieds dits « en sabre » et à dossier enveloppant. Plus riches, naturellement, les trônes offrent de nombreuses variantes, à dossiers élevés et décors en fleur de lotus, en éventail, à têtes de lion, de cygne ou de bélier.
On fait un usage très limité de la table dans les festins. Parmi les divers meubles de rangement, le plus répandu est le coffre ; mais, vers le IVe siècle avant J.-C. environ, apparaît l'armoire, de ligne simple et sans aucun décor, garnie des typiques étagères intérieures.

Urne funéraire. *Ce bas-relief étrusque représente un repas pris sur les typiques lits « à trois »* (triclinium), *avec, devant, des tabourets sur lesquels sont disposés les mets.*

Ci-contre, en haut. La Vision des sièges. *Cette fresque de Giotto, datable entre 1297 et 1300, montre plusieurs sièges destinés aux cérémonies religieuses.*

Le mobilier romain

Il apparaît d'abord comme une variante du mobilier étrusque, marqué par l'influence grecque dans l'usage des lits pour les festins, des tabourets et des coffres. La partie la plus originale du mobilier étrusque – caractérisé par son exécution grossière et ses proportions massives – est représentée par de nombreux modèles de tables à quatre ou encore trois pieds, souvent zoomorphes, dont les plateaux sont ronds, carrés ou bien rectangulaires, et par des sièges volumineux décorés de motifs de sphinx, pattes de lion, guirlandes et volutes. A compter du IIIe siècle avant J.-C. le contact de Rome avec l'hellénisme devient direct, et le mobilier atteint au raffinement des formes et à l'équilibre des proportions. Témoignant du goût pour le confort, les nombreuses variantes de lit, une pièce essentielle du mobilier romain (pour dormir, étudier et s'étendre lors des festins), sont bâties sur le modèle des lits grecs. Les tables ne s'éloignent pas non plus des formes hellénistiques, mais, au bois, on préfère le bronze pour les supports et le marbre pour les plateaux ; pattes de lion, griffons, sphinx constituent les motifs de prédilection du décor. La table trépied sera une pièce très largement reprise dans le style Empire. Les sièges les plus nombreux à l'époque romaine sont le tabouret, qui reprend les types déjà bien connus ; la *sella,* chaise curule réservée aux magistrats, à pieds en tenailles et à bras, mais sans dossier ; la *cattedra,* chaise assez large à accotoirs et à dossier droit ou courbe ; enfin le *solium,* fauteuil de cérémonie à pieds tournés, bras courbes et dossier droit. Particulièrement prisée et très diversement répandue, l'armoire sert également à conserver les représentations des ancêtres : affectant des formes traditionnelles, elle peut être encastrée ou encore adossée au mur.

Le mobilier du Moyen Age

Avec l'effondrement de l'Empire romain et le chaos provoqué par les fréquentes invasions barbares, le mobilier de la période classique perd ses caractéristiques principales pour revêtir un aspect à la fois plus massif et beaucoup plus dépouillé. De très rares pièces de meubles de cette période nous

En bas. Trône de Dagobert. *IXe siècle. Exécuté en bronze, il est porté par des pieds en X à double rotule.*

sévères, et qui paraissent presque austères.
La période gothique voit le retour du goût pour la décoration, qui s'enrichit d'arcs brisés, de rosaces, rinceaux, guirlandes ; les coffres-forts fermés par des serrures se multiplient et le coffre, abondamment répandu, deviendra le buffet, appelé aussi dressoir ou encore crédence, et qui permet de ranger la nourriture.
Les chaises et les tabourets sont le plus généralement à trois pieds.

sont parvenues ; le mobilier médiéval nous est surtout connu par les représentations de quelques enluminures, les mosaïques et les fresques, qui nous montrent des tabourets et chaises souvent pliants, des bureaux, trônes et armoires aux lignes sévères et au décor plutôt rare, dont les motifs rappellent encore le monde gréco-romain. Deux sièges caractéristiques de l'époque carolingienne sont le *faldistorium* (faldistoire), inspiré de la *sella* romaine et utilisé par les nobles et les hauts dignitaires de l'Église dans les cérémonies, et la *cattedra*, d'abord à usage uniquement liturgique, mais qui se répandra ensuite très largement chez les laïcs.
Le lit devient beaucoup plus monumental, exhaussé sur un socle, tandis que persistent les simples nattes et paillasses foncées de sangles ; les tables rondes cèdent la place à des formes rectangulaires plus

CHRONOLOGIE DES ÉPOQUES ET DES STYLES

Les tableaux chronologiques présentent la succession des styles au cours des diverses périodes.
Les gouvernants ont été cités dans les époques et les pays où ils ont suffisamment pesé sur les styles pour mériter d'en porter le nom
La cadence des époques varie : d'abord un intervalle de cinquante ans, ensuite vingt-cinq, et enfin vingt, de façon à donner un aperçu plus clair des nombreux changements de goût intervenus au cours des deux derniers siècles.
Une couleur a été attribuée à chaque style ; couleur réaffectée à des styles liés entre eux ou se référant à des modèles culturels similaires, même si leur nom et le pays où ils se sont développés sont différents. Ce qui permet une lecture efficace et rapide de l'apparition et du déclin d'un style ou d'une variante dans les différents lieux où il s'est exprimé.

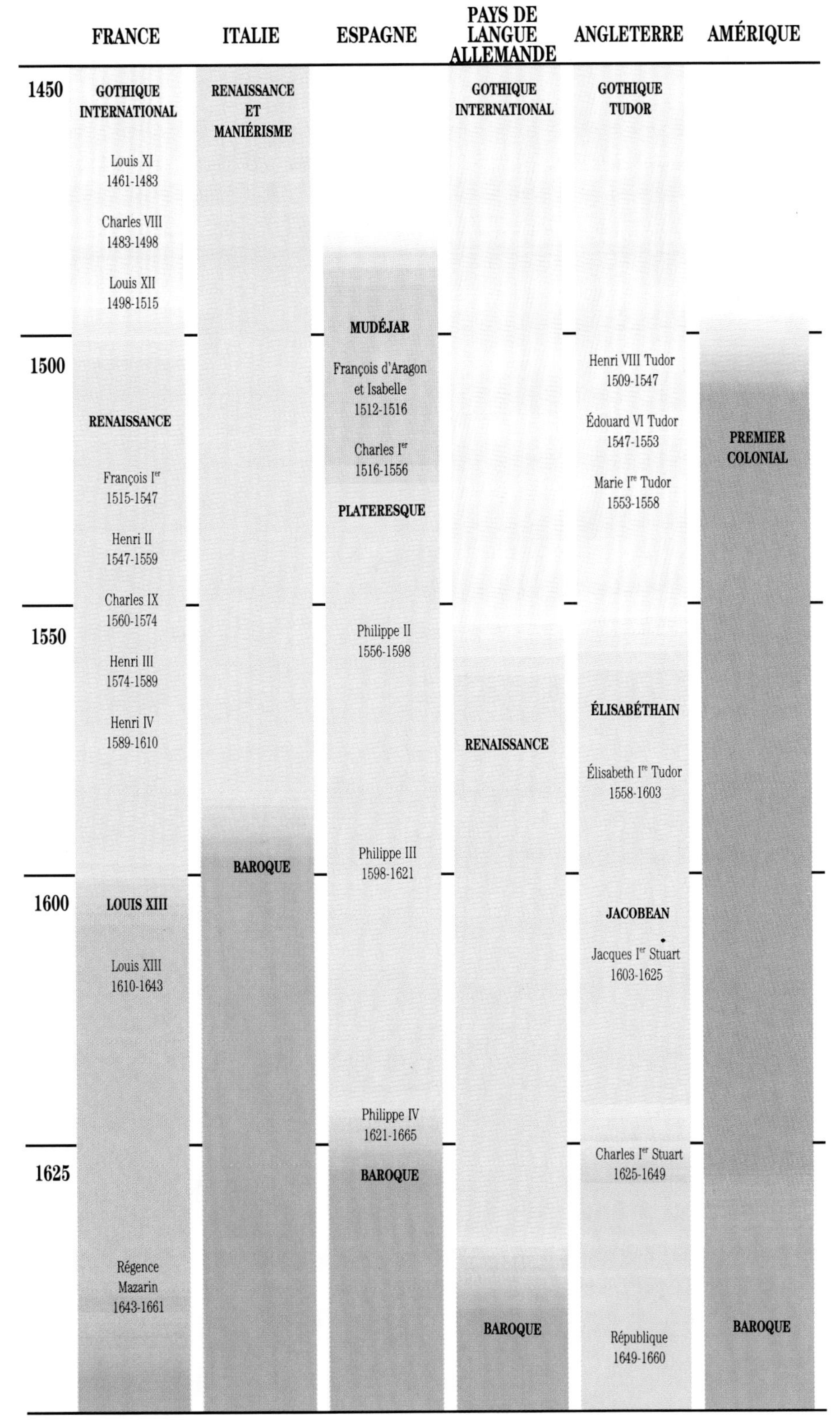
FRANCE
ITALIE
ESPAGNE
PAYS DE LANGUE ALLEMANDE
ANGLETERRE
AMÉRIQUE
1450
1500
1550
1600
1625
1650
GOTHIQUE INTERNATIONAL
Louis XI 1461-1483
Charles VIII 1483-1498
Louis XII 1498-1515
RENAISSANCE
François Ier 1515-1547
Henri II 1547-1559
Charles IX 1560-1574
Henri III 1574-1589
Henri IV 1589-1610
LOUIS XIII
Louis XIII 1610-1643
Régence Mazarin 1643-1661
RENAISSANCE ET MANIÉRISME
BAROQUE
MUDÉJAR
François d'Aragon et Isabelle 1512-1516
Charles Ier 1516-1556
PLATERESQUE
Philippe II 1556-1598
Philippe III 1598-1621
Philippe IV 1621-1665
BAROQUE
GOTHIQUE INTERNATIONAL
RENAISSANCE
BAROQUE
GOTHIQUE TUDOR
Henri VIII Tudor 1509-1547
Édouard VI Tudor 1547-1553
Marie Ire Tudor 1553-1558
ÉLISABÉTHAIN
Élisabeth Ire Tudor 1558-1603
JACOBEAN
Jacques Ier Stuart 1603-1625
Charles Ier Stuart 1625-1649
République 1649-1660
PREMIER COLONIAL
BAROQUE

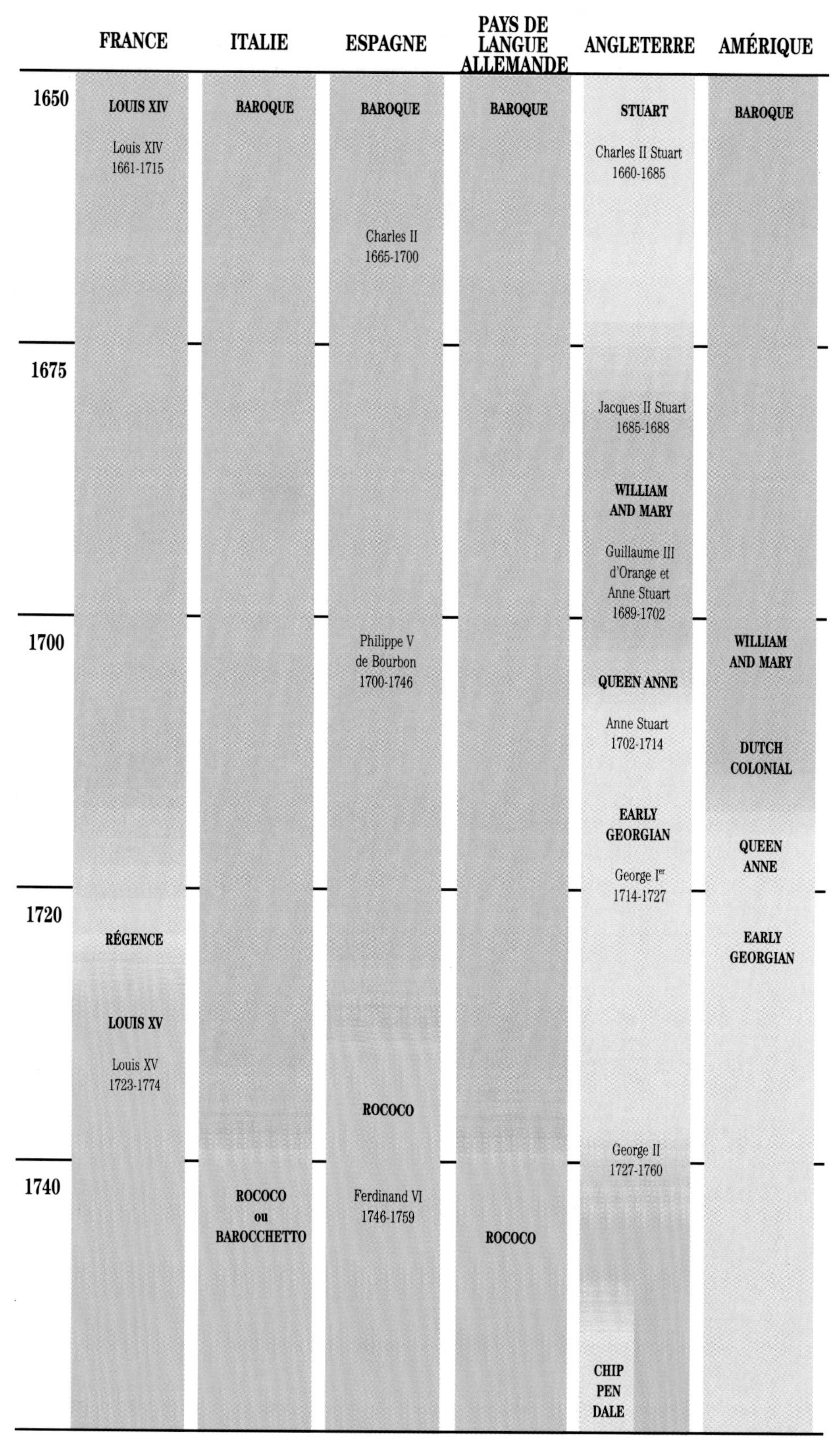
FRANCE
ITALIE
ESPAGNE
PAYS DE LANGUE ALLEMANDE
ANGLETERRE
AMÉRIQUE
1650
1675
1700
1720
1740
1760
LOUIS XIV
Louis XIV
1661-1715
RÉGENCE
LOUIS XV
Louis XV
1723-1774
BAROQUE
ROCOCO
ou
BAROCCHETTO
BAROQUE
Charles II
1665-1700
Philippe V
de Bourbon
1700-1746
ROCOCO
Ferdinand VI
1746-1759
BAROQUE
ROCOCO
STUART
Charles II Stuart
1660-1685
Jacques II Stuart
1685-1688
WILLIAM
AND MARY
Guillaume III
d'Orange et
Anne Stuart
1689-1702
QUEEN ANNE
Anne Stuart
1702-1714
EARLY
GEORGIAN
George Ier
1714-1727
George II
1727-1760
CHIP
PEN
DALE
BAROQUE
WILLIAM
AND MARY
DUTCH
COLONIAL
QUEEN
ANNE
EARLY
GEORGIAN

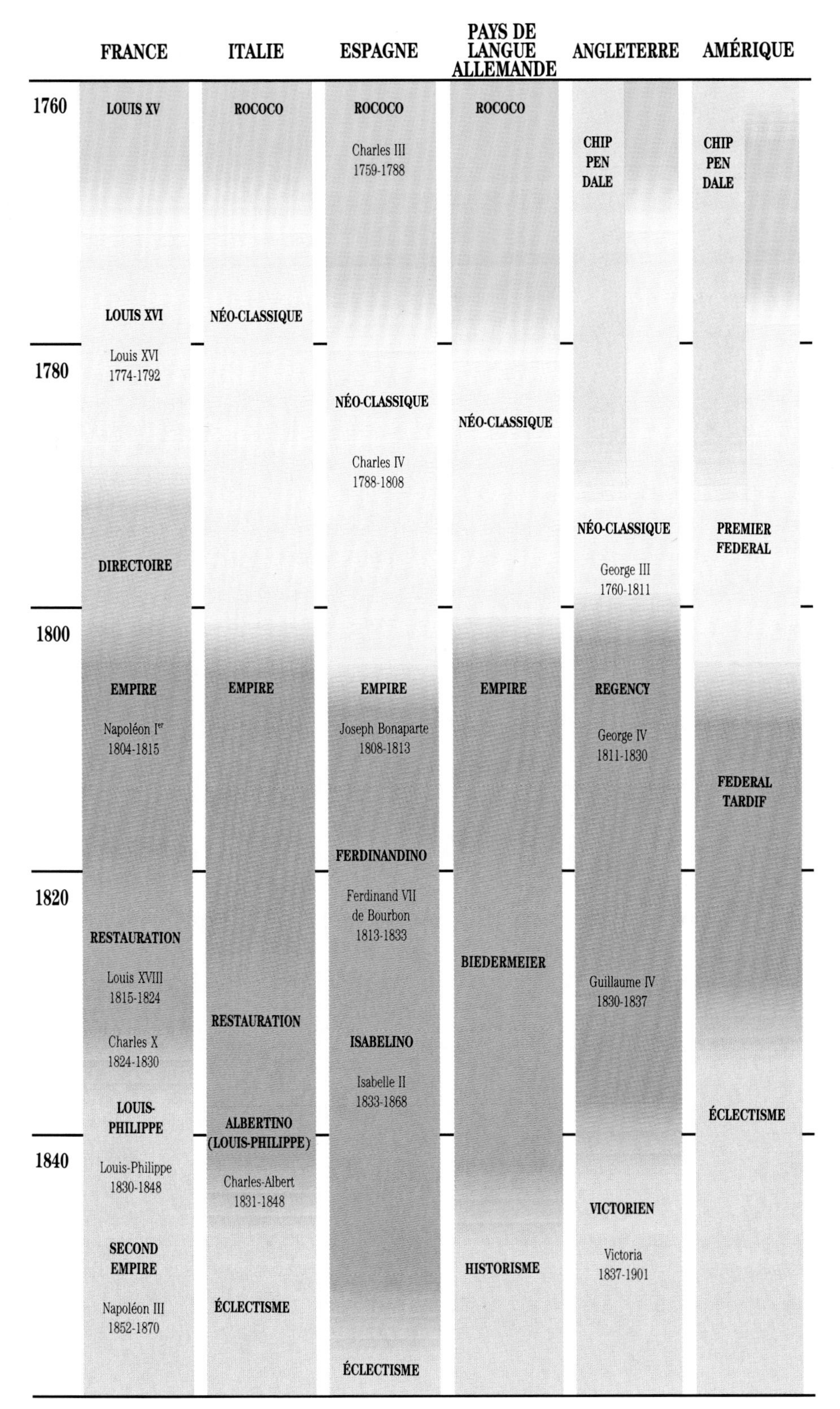
FRANCE
ITALIE
ESPAGNE
PAYS DE LANGUE ALLEMANDE
ANGLETERRE
AMÉRIQUE
1760
1780
1800
1820
1840
1860
LOUIS XV
LOUIS XVI
Louis XVI 1774-1792
DIRECTOIRE
EMPIRE
Napoléon Ier 1804-1815
RESTAURATION
Louis XVIII 1815-1824
Charles X 1824-1830
LOUIS-PHILIPPE
Louis-Philippe 1830-1848
SECOND EMPIRE
Napoléon III 1852-1870
ROCOCO
NÉO-CLASSIQUE
EMPIRE
RESTAURATION
ALBERTINO (LOUIS-PHILIPPE)
Charles-Albert 1831-1848
ÉCLECTISME
ROCOCO
Charles III 1759-1788
NÉO-CLASSIQUE
Charles IV 1788-1808
EMPIRE
Joseph Bonaparte 1808-1813
FERDINANDINO
Ferdinand VII de Bourbon 1813-1833
ISABELINO
Isabelle II 1833-1868
ÉCLECTISME
ROCOCO
NÉO-CLASSIQUE
EMPIRE
BIEDERMEIER
HISTORISME
CHIP PEN DALE
NÉO-CLASSIQUE
George III 1760-1811
REGENCY
George IV 1811-1830
Guillaume IV 1830-1837
VICTORIEN
Victoria 1837-1901
CHIP PEN DALE
PREMIER FEDERAL
FEDERAL TARDIF
ÉCLECTISME

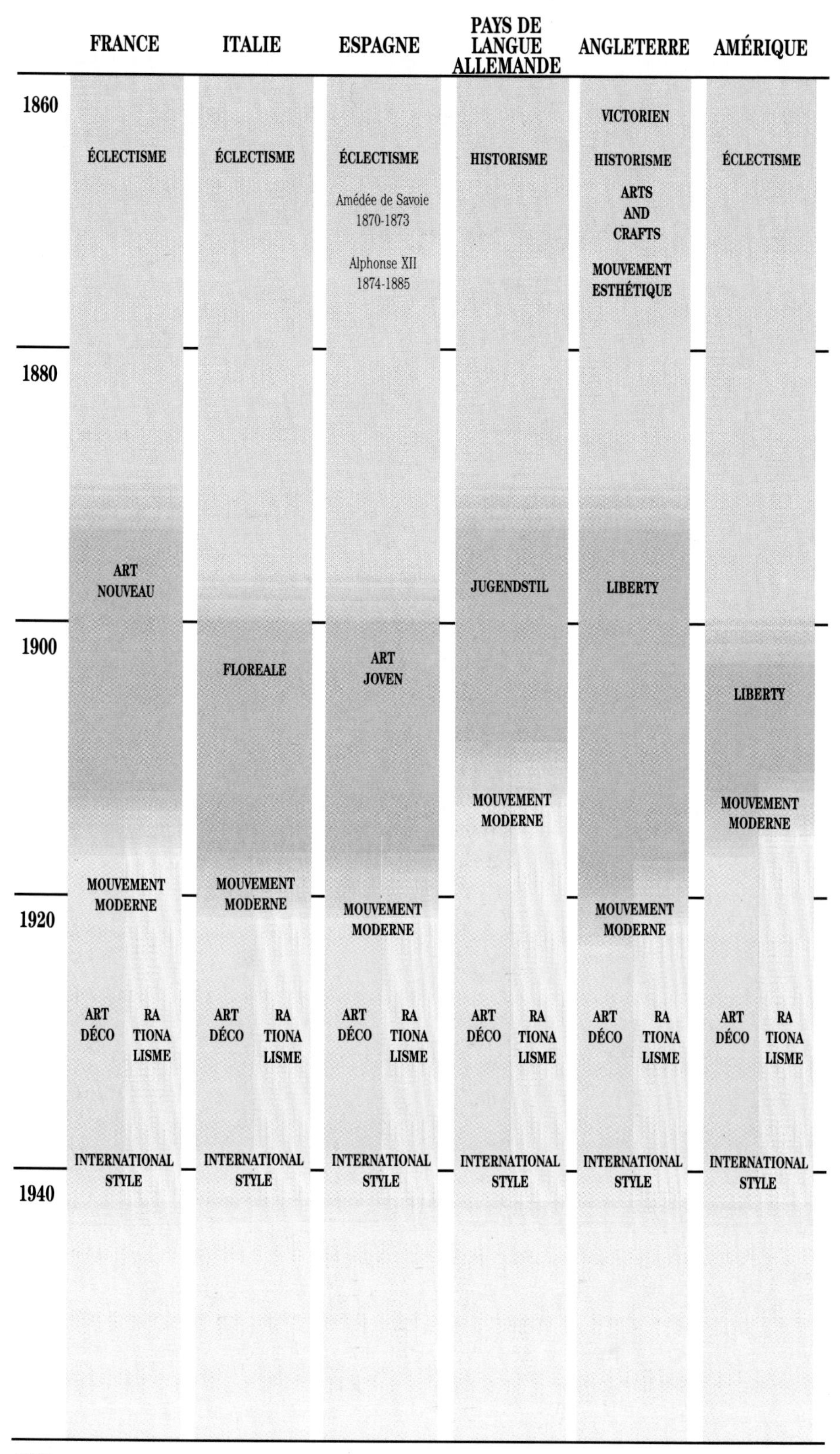
FRANCE
ITALIE
ESPAGNE
PAYS DE LANGUE ALLEMANDE
ANGLETERRE
AMÉRIQUE
1860
1880
1900
1920
1940
1960
ÉCLECTISME
ÉCLECTISME
ÉCLECTISME
Amédée de Savoie 1870-1873
Alphonse XII 1874-1885
HISTORISME
VICTORIEN
HISTORISME
ARTS AND CRAFTS
MOUVEMENT ESTHÉTIQUE
ÉCLECTISME
ART NOUVEAU
JUGENDSTIL
LIBERTY
FLOREALE
ART JOVEN
LIBERTY
MOUVEMENT MODERNE
MOUVEMENT MODERNE
MOUVEMENT MODERNE
MOUVEMENT MODERNE
MOUVEMENT MODERNE
MOUVEMENT MODERNE
ART DÉCO
RA TIONA LISME
ART DÉCO
RA TIONA LISME
ART DÉCO
RA TIONA LISME
ART DÉCO
RA TIONA LISME
ART DÉCO
RA TIONA LISME
ART DÉCO
RA TIONA LISME
INTERNATIONAL STYLE
INTERNATIONAL STYLE
INTERNATIONAL STYLE
INTERNATIONAL STYLE
INTERNATIONAL STYLE
INTERNATIONAL STYLE

Renaissance et Maniérisme

◆

Style élisabéthain

◆

Louis XIII

◆

Baroque

◆

Louis XIV

◆

William and Mary

RENAISSANCE et MANIÉRISME
(seconde moitié du XVe siècle et XVIe)

◆ La Renaissance et la période maniériste voient s'affirmer des concepts totalement nouveaux dans le domaine de l'ameublement. Si le mobilier du Gothique tardif prévaut toujours dans l'Europe centrale et septentrionale jusqu'à quasiment la première moitié du XVIe siècle, le style Renaissance, né en Italie, se propage rapidement dans de nombreuses cours d'Europe. En effet, l'idée de l'habitation en tant que « résidence » s'affirme, et les meubles cessent d'être des modèles généraux pour devenir des éléments essentiels autour desquels s'articule la demeure seigneuriale. Comme pour les arts majeurs, les centres de cette nouvelle sensibilité sont Florence, Rome et Venise, où, sous l'influence également

Ci-dessus. Cabinet. *La présence de « bambocci » sur les montants et la corniche de ce meuble typiquement XVIe siècle est d'origine ligure. L'abattant masque un intérieur richement décoré.*

Page ci-contre, en bas. Lit toscan à caissons. *Ce lit (fin du* XVe*) est caractérisé par une structure de nette inspiration architecturale, dont les surfaces sont rythmées par de simples rectangles linéaires.*

Ci-dessous. Coffre. *Exécuté dans le style du Sansovino, il est richement sculpté. Le fronton est décoré de médaillons figurant les épisodes des Travaux d'Hercule.*

En bas. Crédence. *La ligne architecturale de ce buffet en noyer du* XVIe *siècle est soulignée par les deux colonnes en ronde bosse. La base repose sur les typiques pattes de lion.*

d'artistes comme il Sansovino, Vasari, Palladio et d'autres aussi (lesquels, par ailleurs, ne s'intéresseront alors qu'indirectement au mobilier), un nouveau style de meuble fait son apparition : majestueux mais gracieux, aux proportions élégantes et classiques, exécuté avec une science raffinée. L'amour de l'art et la recherche du beau dans le dessin et la décoration transforment les types de meubles les plus traditionnels, comme les lits, les coffres et les armoires ; ils s'enrichissent de colonnes, soubassements, miroirs en marqueterie (le raffinement dans l'usage de cette technique conduit même au trompe-l'œil, comme dans le cabinet de travail du palais ducal d'Urbino), où sont peints des sujets tirés de l'histoire de l'époque et de la mythologie classique, ou encore sont ornés de cadres

JACOPO TATTI,
dit il SANSOVINO
(1486-1570)
Très actif et apprécié comme architecte et sculpteur à Florence, Rome et Venise. Bien qu'il ne se soit pas directement intéressé aux meubles, ses trouvailles décoratives ont exercé une très grande influence sur le mobilier de l'époque. Il a donné son nom à la « sansoviniana », cadre richement sculpté de volutes et cariatides.

JACQUES A. DU CERCEAU
(v. 1510-1600)
L'un des plus grands inspirateurs du goût français ; il a repris les motifs et formes des artistes italiens. Son célèbre recueil d'ornemaniste, Les Plus Excellents Bastiments de France *(1576), a été plusieurs fois réédité. Il a réalisé des projets de meubles et de très nombreuses décorations, qui ont inspiré des générations d'artisans.*

HUGUES SAMBIN
(1518-v. 1601)
Il ne subsiste de l'un des plus importants ornemanistes français aucun meuble qui puisse lui être attribué de façon certaine. Son nom est lié à un livre, Œuvre de la diversité des termes dont on use en Architecture, *qui se ressent du Maniérisme toscan, mais dont toute l'originalité réside dans la complexité et l'invention. On sait seulement de lui qu'il a fait partie de la Corporation des maîtres artisans de Dijon.*

Lit à baldaquin. *Ce projet de Jacques Du Cerceau témoigne du goût maniériste, reflété dans la riche décoration des colonnes, la figuration de la tête de lit et les pieds métamorphosés en animaux fantastiques.*

et décors en relief, exécutés selon la technique de la *pastiglia* (sculpture peu profonde) et de la sculpture sur bois. Cette dernière est largement utilisée pour représenter, en haut- et bas-relief, des scènes figuratives compliquées et des éléments architecturaux tels que colonnes, pilastres, balustres, moulures. Le bois le plus utilisé par les artisans des XVe et XVIe siècles dans la fabrication des meubles de prix est le noyer, car son abondance, ses fibres épaisses et sa jolie couleur brune en font un matériau idéal pour la réalisation de structures solides et de surfaces raffinées. Festons, guirlandes, volutes, rosaces, entrelacs de végétaux, mascarons constituent les motifs décoratifs de la Renaissance. Les pattes de lion, toujours solides et puissantes, ornent le plus souvent les pieds des meubles : véritable symbole de la force. Ces pieds classiques taillés en

◆ BUFFET OU CRÉDENCE. A partir du XVe siècle se développe un meuble autonome servant à ranger la vaisselle, le linge de table, l'argenterie, etc. Il affecte une forme typique, avec une partie massive fermée par deux vantaux, surmontée d'une ceinture comportant des tiroirs et se terminant par un large plateau d'appui. Étant placé bien en vue, il doit être de qualité égale à celle des autres meubles de la salle à manger. Simplement encadré de pilastres au XVe siècle, il s'enrichit au XVIe de frises et de sculptures : colonnes, mascarons, cariatides, larges corniches. A côté de ce buffet d'usage « laïc » est répandue l'armoire de sacristie, destinée à ranger les objets du culte.

◆ LIT. Jadis dissimulé sous les courtines ou en alcôve, car intégré dans des contextes très différents, le lit est désormais mis en valeur ; l'estrade tend à disparaître, tandis que l'on accorde plus d'intérêt au châlit à panneaux décorés et sculptés et à pieds montés en lourdes colonnes ; de même, le ciel, lorsqu'il est présent, a une fonction essentiellement ornementale.

◆ CHAISES. Parmi les types de sièges de la Renaissance, la *savonarole,* chaise pliante en X à barreaux de bois, est très répan-

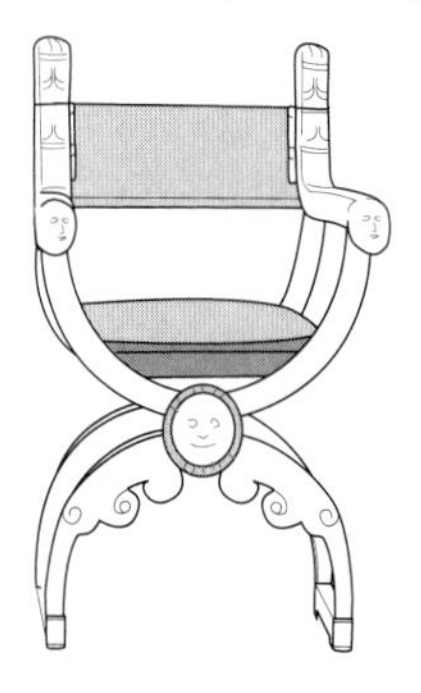

La pastiglia

Technique de décoration en faible relief, la pastiglia *connaît un grand développement du* XV*e au* XVII*e siècle. D'origine très ancienne, elle consiste en un mélange de plâtre et de colle dont on enduit la surface d'un tissu, préalablement collé au bois pour en faciliter l'adhésion. L'estampe en représente l'utilisation la plus typique : de nombreuses impressions successives à l'aide de petits moules métalliques permettent des compositions complexes, avec des résultats très raffinés. La* pastiglia *est, en effet, peinte ou encore recouverte de fines lames de métal : étain, argent et aussi or.*

griffes seront souvent repris aux siècles suivants, dans d'autres styles.

La Renaissance en France

C'est avec la construction du château de Fontainebleau (v. 1540-1550) que l'esprit de la Renaissance et plus encore du Maniérisme se développe en France, avec la présence d'artistes comme il Rosso et le Primatice. Le style italianisant est bientôt assimilé pour former, dans la seconde moitié du XVIe siècle, une Renaissance bien française. Deux grands décorateurs se distinguent dans cette deuxième période : Jacques Du Cerceau et Hugues Sambin, dont les dessins de meubles témoignent de la primauté accordée aux éléments décoratifs, tels que cariatides, guirlandes, etc., recouvrant entièrement la structure. Vers la fin du XVIe siècle, le goût évoluera, modérant par la suite l'excès de décoration.

due. Elle comporte deux séries de lanières de bois en S fixées au centre, réunies dans la partie supérieure par les accotoirs et en bas par les pieds. Ouverte, la chaise est bloquée par une traverse qui fait office de dossier ; généralement, un coussin améliore le confort du siège. On retrouve ce même mouvement en ciseaux dans la dantesque, *sedia dantesca* (*voir* figure), mais celle-ci est composée seulement de deux couples de pièces courbes reliées par une traverse ; une bande de cuir, fixée à l'aide de joints métalliques, forme le siège.

◆ COFFRE. Il reste, comme au Moyen Age, l'un des éléments essentiels du mobilier du XVIe siècle, adoptant les formes et décorations caractéristiques de cette époque : des spécimens ornés de marqueteries, dorures et panneaux peints aux modèles classiques sculptés en forme de sarcophage monumental (*voir* figure), avec un soubassement supporté par des pattes de lion, un corps central en relief et une large corniche supérieure.

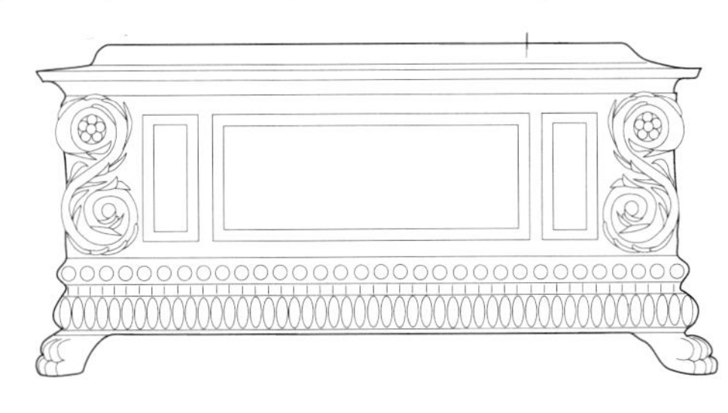

STYLE ÉLISABÉTHAIN

(seconde moitié du XVIe siècle)

◆ En raison de leur isolement géographique et de leur histoire politique intérieure, les Anglais conserveront dans l'ameublement, et aussi dans la vie domestique, du moins jusqu'au milieu du XVIe siècle, une conception essentiellement médiévale. C'est seulement avec l'accession au trône des Tudors, qui règnent de 1485 à 1603, et surtout de la reine Élisabeth Ire, que les modèles stylistiques de la Renaissance italienne se substituent au solide goût gothique ; celui-ci, toutefois, ne tardera pas à réapparaître sous des formes variées aux siècles suivants, notamment à l'époque victorienne. C'est tout d'abord uniquement pour adoucir l'austérité des intérieurs que l'on applique les motifs décoratifs Renaissance, comme l'arabesque et les têtes sculptées en médaillons, ou encore le décor *limenfold*, motif de plis sculptés, appelé aussi « à plis-de-serviette », typique de la période Tudor ; c'est ensuite la structure même du mobilier qui est modifiée. La vogue du tournage et du décor sculpté, techniques largement en usage en France et aux Pays-Bas, dont dérive le

A gauche. Livery cupboard. *Cette crédence en bois de chêne, de structure très simple, s'enrichit de moulures linéaires, de décorations ajourées et sculptées dans le style du Gothique tardif du début du XVIe siècle.*

Page ci-contre, en haut. Court cupboard. *Cette crédence en chêne de la période Tudor (v. 1590), sculptée et marquetée, est complètement à claire-voie, avec les montants antérieurs en forme de vase.*

Ci-dessous. Coffre. *Daté du milieu du XVIe siècle, il est de conception franchement architecturale : les panneaux présentent un décor d'arcature et des éléments verticaux filetés.*

modèle culturel des meubles anglais, permet au mobilier élisabéthain d'adopter des formes originales et de définir les caractéristiques d'un véritable style.

Le dépassement des modèles flamands

Les pieds des tables et les colonnes des lits affectent la forme en vase ou en bol caractéristique qui, à la différence du modèle flamand dont elle dérive, se gonfle ou s'agrandit démesurément, conférant à l'ensemble, grâce aussi aux riches décors sculptés, aux cadres et aux moulures, un aspect qui préfigure le style baroque à venir. Les chevets des lits à baldaquin et les crédences comportent des panneaux d'inspiration architecturale présentant des encadrements richement sculptés en relief, décorés de festons, motifs de

◆ Chaises et Tabourets. La tendance au rembourrage des sièges conduit, à l'époque élisabéthaine, à l'abandon progressif de la chaise de style gothique à haut dossier, fermée sur les côtés. Les sièges deviennent plus confortables et sont réglables ; comme ils sont presque tous recouverts de tapisserie, on n'accorde pas une attention particulière à la structure en bois, généralement en rouvre, mais aussi plus modestement en hêtre. Plus répandu que la chaise, le tabouret, parfois également rembourré, représente le type de siège courant. Il en existe une grande variété, du modèle pliant à celui que l'on glisse sous les tables.

◆ Lit. A la fin du XVIe siècle, il s'agit d'un meuble plutôt modeste : bas et massif, les côtés simplement sculptés et la tête linéaire. Mais on rencontre aussi de majestueux exemplaires à baldaquin, de dimensions souvent imposantes (le lit d'Élisabeth Ire mesure environ 3 mètres de côté), à gros balustres sculptés supportant le baldaquin et le chevet de style architectural, richement travaillé, les autres parties sont recouvertes de lourdes draperies d'une tapisserie somptueusement brodée, et de goût parfois orientalisant.

◆ Nonesuch Chest. Son nom, « coffre sans-pareil », indique un coffre particulièrement riche, qui a donné naissance à un groupe de meubles probablement fabriqués en Europe du Nord, et rencontrés en Angleterre. Le *nonesuch chest*, répandu entre la seconde moitié du XVIe siècle et le début du XVIIe, fait un large usage du décor sculpté, de la marqueterie (décoration par incrustation) et de l'*inlay* (également par incrustation), jouant de la juxtaposition de bois, parfois exotiques, de couleurs et de veinages différents.

◆ Table. Il en existe de multiples versions : des tables massives portées par des pieds en forme de pilastres, avec un grand plateau soutenu par un large tréteau, aux types plus légers et diversement démontables, à pieds réunis par des entretoises et qui, la table fermée, se replient sous le plateau. Parmi les modèles à base mobile, la *gate-leg* repose sur des pieds tournés pivotants, réunis par un entrejambe maintenu par des chevilles en bois. On trouve de nombreux types de tables offrant des solutions intéressantes : à rallonges, se fermant complè-

Page ci-contre. Lit à baldaquin. *Exécuté en bois de chêne dans les dernières décennies du XVIe siècle, il se caractérise par ses colonnes en forme de vase et l'inspiration architecturale de l'ensemble, comme par les nombreux détails décoratifs. La tête s'enrichit en son centre de deux lions rampants, qui soutiennent les armoiries des Tudors.*

rubans et feuilles d'acanthe, et rythmés par des gaines ou têtes de lions d'inspiration classique. Les sculptures sont souvent dépourvues de finesse, ce qui donne à penser que les plus beaux exemplaires ont été exécutés par des artisans huguenots venus des Flandres et réfugiés en Angleterre pour des motifs religieux. Les meubles en marqueterie ne sont pas rares, mais il s'agit vraisemblablement de pièces très particulières, comme en témoigne l'inventaire du mobilier établi en 1580 et conservé par la reine Élisabeth au château d'Arundell, qui comporte, entre autres, six tables en marqueterie. Les chaises à bras également ont un dossier décoré en bas-relief d'armoiries et de figures héraldiques. Chaises et fauteuils deviendront ensuite plus confortables, avec bras, dossier et siège rembourrés et garnis de cuir ou d'étoffe. Les bois utilisés sont l'orme, le frêne, le noyer et le chêne.

La sculpture sur bois

Le style élisabéthain voit se répandre le décor sculpté, déjà présent dans le Gothique, mais qui se développe entre le XVIe et le XVIIe siècle comme élément vraiment caractéristique de l'ornementation des meubles. La sculpture sur bois consiste à reproduire des formes en relief dans la surface du bois taillé au ciseau. Les deux extrêmes de cette technique sont la gravure, dans laquelle seules les lignes sont tracées, et l'exécution en ronde bosse, c'est-à-dire la sculpture proprement dite ; on obtient des effets intermédiaires avec le bas- et le haut-relief ; dans la sculpture ajourée, le fond est percé d'ouvertures. En Angleterre se répand aussi la « gravure plate », dans laquelle les contours du dessin sont creusés, puis poinçonnés de façon à obtenir un fond irrégulier. La technique de la gravure combinée avec celle de la marqueterie permet de juxtaposer des bois différents dans des décors de rubans, et souvent de parfaire ainsi le tournage des éléments verticaux, comme les pieds de tables ou les colonnes de lits à baldaquin.

tement, ou dont une partie du plateau peut être abaissée ou masquée. La décoration est habituellement à motifs géométriques, avec les pieds en forme de vase, de bol ou de bulbe *(melon-bulb)*.

◆ DESK. Petite commode portative utilisée comme bureau. Le plateau supérieur est légèrement incliné pour faciliter l'écriture ; l'intérieur, composé de tiroirs et compartiments, contient papier, plumes et encre.

◆ COURT CUPBOARD. Typique crédence de cour anglaise, utilisée pour ranger les objets d'usage domestique, elle est dérivée de la transformation du coffre, qui devient un meuble surélevé au-dessus du sol et s'ouvrant devant. Les montants verticaux, à décor sculpté, sont traversés par trois plateaux, l'un très bas et les deux autres correspondant au meuble proprement dit, mais en retrait par rapport aux plans, qui servent donc d'appui.
On connaît plusieurs variantes de crédences : la *court cupboard*, en forme de trapèze, et l'*enclosed cupboard*, parfaitement rectangulaire ; la *livery cupboard*, une variante à vantaux ajourés destinée à garder les aliments, et la *press cupboard*, dans laquelle le corps inférieur ne comporte pas de vantaux.

LOUIS XIII
(première moitié du XVIIe siècle)

◆ Moins redondant et aussi moins massif que le style Renaissance, plus sec et plus géométrique que le Louis XIV, dont il préfigure certaines idées de composition, comme les traverses tournées reliant les montants des tables et des sièges, le Louis XIII utilise un riche répertoire ornemental, composé de motifs naturalistes tels que feuilles d'acanthe, rinceaux, fleurs, pommes, grenadiers, ou encore géométriques, comme les « pointes de diamant » et les octogones. On trouve, à côté de ces éléments, les classiques mascarons, têtes de lions et gaines sculptés en haut- ou bas-relief. L'usage abondant des étoffes pour garnir les murs et les meubles constitue la grande nouveauté de l'époque ; recouvrir les meubles permet de moins porter l'effort sur l'esthétique et de mettre davantage en valeur la solidité de la structure. Ce mobilier pratique et peu coûteux, ouvrage typique de menuiserie, est appelé *mobilier d'étoffe* ; l'œuvre gravé d'Abraham Bosse, qui montre de nombreux intérieurs, offre un témoignage particulièrement intéressant de ce type de production. Au début du XVIIIe siècle se dessine donc et se développe un style plus libre, dans lequel les rapports entre les divers éléments du meuble et les formes canoniques des ordres architectoniques, corniches, frontons, colonnes, niches et statues, se croisent et se pénètrent dans la plus grande fantaisie. Ainsi, l'influence néerlandaise est très nette dans l'usage de la colonne en bois tourné ; celle-ci, dans ses nombreuses variantes – en spirale, torsade, chapelet, balustre, toupie –, caractérise une grande partie du mobilier de l'époque, notamment les cabinets, mais aussi les sièges avec ou sans accotoirs, les tables ou les lits à colonnes, pour lesquels on utilise des

Page ci-contre. Cabinet. *Exécuté vers le milieu du XVIIe siècle, ce cabinet en ébène, finement sculpté et gravé, est représentatif du goût fastueux de l'époque. Porté par de minces colonnettes, il comporte deux vantaux qui ferment le corps supérieur de conception architecturale, délimité par des colonnes et lignes en ivoire peint. Détail : paysage gravé sur le panneau central à l'intérieur d'un des vantaux.*

Ci-dessous. Tabouret. *Revêtu d'une tapisserie exécutée au point, il est caractérisé par une forme carrée et une structure en noyer avec des éléments torsadés. Des traverses en H relient les pieds.*

bois comme le chêne, le noyer, le poirier et l'ébène. Les surfaces des meubles plus importants peuvent être sculptées, dorées, plaquées, marquetées ou recouvertes de cuir décoré.

L'influence italienne

Deux tendances principales dominent le goût du XVIe et le début du XVIIe siècle. La première, d'inspiration architecturale, est liée à l'étude de l'antique ; la seconde, décorative, témoigne du retour aux modèles d'origine Renaissance et maniériste, répandus en France quelques décennies plus tôt par de nombreux artistes et artisans italiens, tout d'abord appelés par Charles VIII, ensuite et surtout par François Ier pour la construction du château de Fontainebleau. La diffusion du style italianisant s'étend et se prolonge, mais, au tout début du XVIIe siècle, la présence d'artistes italiens se réduit jusqu'à disparaître presque complètement. Ce sera seulement en 1646 que le cardinal Mazarin appellera un peintre italien, Romanelli, pour décorer les plafonds de plusieurs salles du Louvre.

Un style de transition

A l'origine de ce tournant dans le goût de la décoration et de l'ameublement connu comme style Louis XIII, qui persistera pendant plus de cinquante ans, on trouve l'influence

Cabinet. *Décoré d'écaille rouge plaquée, ce meuble présente une structure très linéaire, à laquelle correspond une riche décoration d'oiseaux et de fleurs incrustés dans l'ivoire, des bois variés et des filets en ébène.*

◆ FAUTEUIL. Au début du XVIIe siècle, il présente une certaine rigidité de structure : forme carrée, bras horizontaux et dossier large.

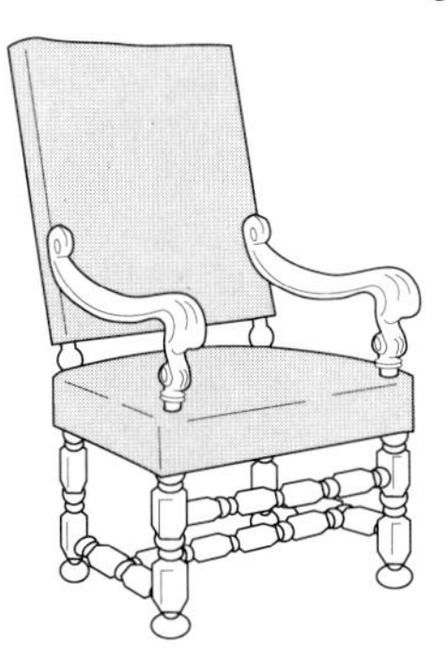

Mais tous les éléments visibles du bois sont richement tournés en chapelets ou en torsades se terminant en parallélépipède aux points d'assemblage. La garniture gagne en raffinement : souvent une étoffe brodée à motifs floraux de tons vifs, fixée par une rangée de petits clous en cuivre et ornée de franges.

◆ CHAISES ET TABOURETS. La chaise Louis XIII, qui ne se différencie du fauteuil que par sa taille plus petite et l'absence d'accotoirs, accorde la même importance au tournage et au revêtement : tapisserie, damas et velours brodés au petit point ou au célèbre point de Hongrie. Les tabourets sont très courants, avec une assise rembourrée ou en bois ; typique, l'entrejambe en H qui relie les pieds, travaillé au tour comme toutes les autres parties extérieures en bois. Les ployants en X, avec une traverse de fixation à la base et une bande de tissu ou de cuir formant le siège, jouissent également d'une grande faveur.

◆ LIT DE REPOS. Il fait son apparition vers 1620 : plutôt petit, à un

Cabinet. *Splendide cabinet français, de structure franchement architecturale, soulignée par la superposition des ordres corinthien et ionique. Plaques et décor de bronze doré sur fond noir d'ébène exaltent le goût fastueux typique de l'époque. Le détail montre un décor en bronze doré de nette dérivation romaine.*

flamande, qui, se mêlant aux modèles italiens préexistants, produit des formes et décors d'une très grande beauté. Toutefois, il est objectivement difficile de délimiter avec certitude un « style » qui, parce qu'il est une transition entre les deux périodes extrêmement « fortes » sur le plan artistique que sont la Renaissance française et le Louis XIV, échappe de par sa nature à une originalité formelle précise et codifiée. L'aspiration à plus de confort et l'ostentation de luxe chez les nobles et chez les riches, comme symbole de puissance, vont consacrer une nouvelle catégorie d'artisans, les ébénistes (nom dérivé de « menuisier en ébène », c'est-à-dire menuisier en bois), qui deviendront le symbole du futur style Louis XIV, plus fastueux. A la différence des menuisiers, ils produiront exclusivement des meubles de luxe (par exemple le cabinet,) richement décorés.

ou deux dossiers, ou joues latérales, porté par six ou huit pieds tournés. Il est tapissé d'étoffes aux couleurs et dessins de tons vifs. Ce lit de jour, avec deux « rondins », répond à une mode : les femmes l'utilisent pour recevoir et converser confortablement.

◆ CANAPÉ. Il tire son nom d'un petit divan à deux places qui, par sa forme et ses caractéristiques, dérive du lit de repos ; il a en plus un troisième dossier sur le côté long qui relie les deux joues latérales rembourrées. Sur certains spécimens, ces dernières peuvent être abaissées pour en augmenter la capacité. Le canapé se répand vers le milieu du XVIIe siècle, et on en connaît de nombreuses variantes, dont le sofa, rembourré.

◆ ARMOIRE. Ce meuble essentiel connaît une évolution importante au tout début du XVIIe siècle : les deux corps de l'armoire Renaissance (le corps supérieur plus petit et en retrait) n'en font plus qu'un, d'abord divisé par un simple cadre horizontal, qui disparaîtra ensuite pour donner naissance au modèle à deux grandes portes. L'armoire la plus répandue durant le règne de Louis XIII est un meuble de menuiserie, de facture plutôt grossière, placé généralement dans une pièce garde-robe. Sur les exemplaires d'ébénisterie, le décor est à co-

Cabinet. *Dans ce cabinet du début du XVIIe siècle, la linéarité du dessin contraste avec les surfaces richement ornées d'arabesques, presque entièrement recouvertes de cuir rouge décoré en or. La base est formée d'une petite table-console, munie de deux tiroirs, sur laquelle repose un meuble à deux vantaux caractérisé par une corniche en saillie.*

Le tournage

Technique consistant à façonner des éléments de meubles, pieds et traverses, le tournage est connu depuis l'Antiquité et très utilisé à partir du XVIe siècle. On fait tourner le bois fixé au tour, généralement une essence dure comme le poirier ou le buis, et l'ébéniste le réduit au ciseau à une coupe circulaire diversement profilée. A partir de la forme la plus simple, la colonne, une série complexe de décors se développe au XVIIe siècle : en chapelet, en balustre, en forme de bol droit ou renversé, en anneau, en spirale, en double spirale entrecroisée, etc. Avec le Louis XIII, c'est donc le règne du bois tourné en ébénisterie ; son importance prévaut sur tous les autres éléments des meubles, caractérisant surtout les sièges et les tables.

lonnes ou à parties sculptées autour des portes.

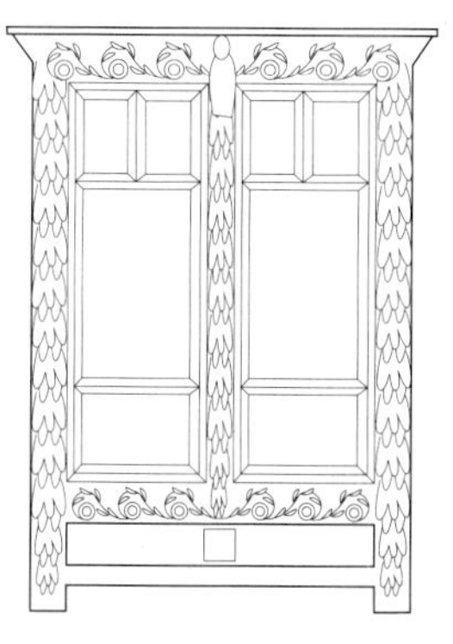

◆ CABINET. Typiquement français, le cabinet est l'expression la plus originale de l'époque Louis XIII, la pièce la plus prestigieuse du mobilier. Richement ouvragé à l'extérieur comme à l'intérieur, il se compose d'un corps d'armoire à deux vantaux, supporté par deux couples, ou plus, de pieds, également décorés, reliés par des traverses. L'intérieur du meuble est divisé en de multiples casiers et tiroirs de dimensions variées, dissimulés ou non par d'autres petits vantaux. On utilise pour leur fabrication des bois et métaux divers, à décors sculptés et tournés : gaines, statuettes en ronde bosse et riches ornements.

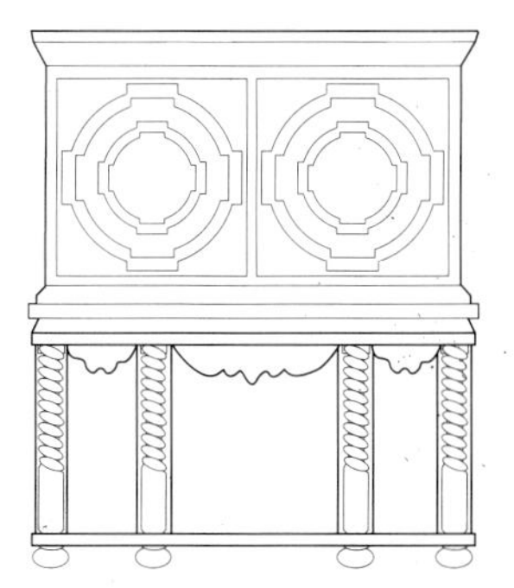

BAROQUE

(XVIIe siècle et première moitié du XVIIIe)

◆ Phénomène typiquement italien, le Baroque naît et se développe en milieu romain, à la cour des papes et des cardinaux. Ce nouveau style, qui durera de la première moitié du XVIIe siècle au tout début du XVIIIe, se répand d'abord en Italie (Naples, Turin, Venise), avant de gagner l'Europe et enfin le Nouveau Monde. Malgré certaines similitudes, le XVIIe siècle présente, selon les pays, des caractéristiques très spécifiques. Il revêt en France les caractères grandioses du style Louis XIV, coïncide en Angleterre avec la période Stuart et le style William and Mary, plus mesuré, subit en Allemagne et en Espagne l'influence décisive italienne, tandis que se développe aux Pays-Bas le style dit « auriculaire », étrange nom dérivé du contournement de certaines sculptures évoquant le dessin de l'oreille. Le meuble baroque, étroitement lié aux formidables solutions architecturales et décoratives d'architectes comme Pierre de Cortone, le Bernin et Borromini, apparaît comme un objet d'exception, ouvrage de sculpture plutôt que d'ébénisterie, dans lequel la destination compte moins que l'effet d'éblouissement et d'émerveillement que suscite le décor.

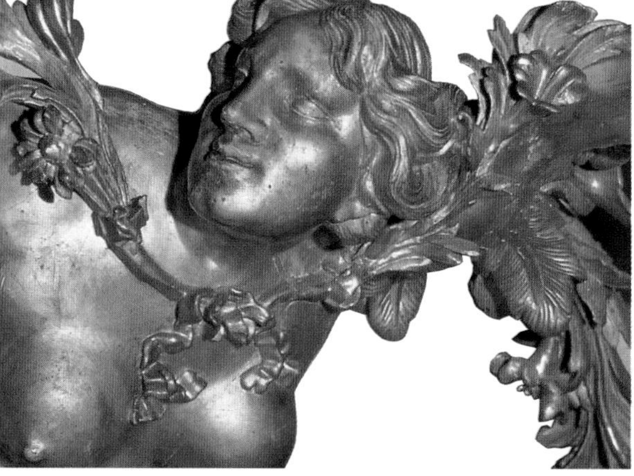

Meubles de luxe et meubles courants

Parmi les modèles de meubles de luxe particulièrement recherchés pour être placés dans les vastes espaces des palais de l'époque, on trouve de grandes tables, des consoles, fauteuils, chaises, cadres et guéridons. Ces pièces se caractérisent toutes par leur aspect plastique, l'utilisation de lignes courbes et brisées, l'usage abondant de la couleur, de la dorure et aussi de la marqueterie ; également par un répertoire décoratif allant des formes végétales, tels guirlandes, festons et fleurs, aux compositions de fruits et d'objets, véritables natures mortes, aux coquillages, aux figures fantastiques telles que putti, tritons et chevaux marins, ou aux figurations humaines réalistes utilisées aussi comme éléments structurels des meubles ; le tout orchestré avec une extraordinaire efficacité et une fantaisie débridée. Parmi les grands maîtres de cette production, plus sculpteurs qu'ébénistes, on

Page ci-contre. Console romaine. *Dans la première moitié du XVIIe siècle, le meuble romain devient une véritable sculpture. La base représente une naïade sculptée en bois doré (détail).*

Ci-dessous. Console vénitienne. *Cette console dorée (datée du milieu du XVIIIe siècle) témoigne de la maîtrise des sculpteurs vénitiens. Des éléments naturalistes se mêlent aux cariatides et aux putti.*

En bas. Commode romaine. *Le meuble romain du tout début du XVIIe siècle est souvent influencé par divers éléments empruntés à l'architecture. A l'instar d'un édifice, ce coffre en noyer est en effet composé d'un soubassement sur lequel reposent des colonnes ioniques ; le fronton est caractérisé par un mascaron central et par des moulurations dentelées.*

rencontre à Venise Andrea Brustolon et Francesco Pianta, en Lombardie Andrea Fantoni, à Gênes Filippo et Domenico Parodi, à Florence le Flamand Léonard Van der Vinne.
Si, à la fin du XVIe siècle, les types de meubles les plus importants se dessinent, les nouveautés se multiplient au XVIIe (la commode, le divan, le trumeau). En Italie, d'une part on crée des chefs-d'œuvre monumentaux de sculpture et d'invention décorative anticonformiste, de l'autre on continue, pour les meubles courants, à utiliser les modèles et styles précédents, adaptés à la nouvelle sensibilité par l'application de décorations surabondantes et des proportions manifestement exagérées. Les modèles courants, probablement davantage que le mobilier de luxe, présentent de grandes différences régionales dans la composition des éléments décoratifs et la proportion des diverses parties. Dans la production piémontaise sont répandus, pour les tables et les consoles, les très caractéristiques pieds balustres, tandis que buffets et armoires possèdent des vantaux et des panneaux décorés d'élégants caissons moulurés.

En bas. Fauteuil. *Maître incontesté de la sculpture sur bois, Andrea Brustolon transforme ce fauteuil, exécuté pour le noble Pietro Venier au début du XVIIIe siècle, en une œuvre sculptée où les éléments structuraux – pieds, bras et traverses – sont réalisés avec une très grande fantaisie, mêlant sans solution de continuité figures, éléments naturalistes et détails décoratifs.*

A Venise règne le noyer ; les pieds des meubles peuvent être en balustres ajourés (tables) ou tournés, tandis que buffets et armoires ne sont guère différents de ceux de l'époque précédente ; d'un grand intérêt sont les meubles laqués, qui triompheront au XVIIIe siècle, et les meubles peints, dont le motif le plus répandu est le faux marbre. En Ligurie, plus précisément à Gênes, d'excellents sculpteurs et ébénistes témoignent d'une remarquable originalité d'expression. On rencontre les typiques meubles dits « à bambocchi », buffets et commodes, dont le décor est constitué de petites figures superposées ne mesurant que quelques centimètres ou assez hautes pour faire fonction de cariatides ; armoires et buffets adoptent souvent des éléments structuraux empruntés à l'architecture. Le mobilier lombard est influencé par Venise, dans les types comme dans les formes de meubles ; les plus typiques sont la

FRANCESCO PIANTA
(1632-1692)
Le Vénitien Pianta compte parmi les principaux sculpteurs, et pas seulement vénitiens, du XVIIe siècle. Les madriers en bois de la salle supérieure de la Scuola de San Rocco à Venise – son chef-d'œuvre – offrent un fantastique ensemble de figures en trompe-l'œil, allégories à la signification parfois obscure : une véritable démonstration de virtuosité technique, que l'on retrouve dans ses autres œuvres, comme l'horloge de Santa Maria dei Frari, dans laquelle la sculpture crée un enchevêtrement d'animaux et de figures.

ANDREA FANTONI
(1659-1734)
Principal représentant d'une famille d'ébénistes, active dans la région de Bergame déjà au XVe siècle. Son chef-d'œuvre est le confessionnal du dôme de Bergame, à reliefs en ronde bosse, draperies et figures allégoriques. Invention dans le dessin et perfection dans la sculpture se retrouvent également dans la sacristie de la basilique de San Martino, à Alzano.

GIOVANNI BATTISTA FOGGINI
(1652-1725)
Sculpteur et fondeur, Cosme III le nomme, en 1687, Premier Architecte, charge qui le place pratiquement à la tête des artisans florentins. Parmi ses meilleurs dessins de meubles figure celui de l'Électeur palatin – chef-d'œuvre de l'art florentin –, avec panneaux en mosaïque florentine, décors de bronze doré et applications de nacre, certaines tables à plateau en pierres dures, le prie-Dieu de l'Électrice palatine.

FILIPPO PARODI
(1630-1702)
Génois, mais sculpteur formé à Rome aux œuvres du Bernin, il fait preuve d'une habileté et d'une invention extraordinaires. Les motifs naturalistes dominent dans ses créations, comme en témoigne, notamment, le trumeau du palais Brignole de Gênes.

ANDREA BRUSTOLON
(1662-1732)
De Belluno, il se fixe à Venise ; plus sculpteur qu'ébéniste, toute sa production raffinée est caractérisée par l'exubérance du décor, fait de branches, feuillages, putti, nègres, figures allégoriques. Il crée des meubles pour la famille Venier, dont un ensemble de petits fauteuils à bras en forme de branches soutenues par de petits nègres, caractérisés par le vif contraste entre les deux bois utilisés : le buis et l'ébène.

LÉONARD VAN DER VINNE
(?-1713)
Marqueteur et ébéniste d'origine flamande, il est actif à Florence de 1659 à sa mort. Porteur de nouvelles idées dans l'art de la marqueterie et de la mosaïque florentine de pierres dures, il a influencé de nombreux artistes ; il est considéré comme un des protagonistes du XVIIe siècle européen.

Ci-dessous. Armoire piémontaise. *Exécutée vers 1670, elle est caractérisée par des panneaux à dessins géométriques sculptés et par la présence, sur la partie supérieure, de colonnes torsadées. La bande médiane qui sépare les deux corps est munie de deux tiroirs, et les pieds présentent la forme typique de pattes de lion.*

commode, avec ou sans abattant, comportant les caractéristiques corniches sombres, et la table aux pieds en forme de lyre ; mais c'est dans les consoles que s'exalte tout l'esprit baroque, grâce à l'art d'Andrea Fantoni. En Toscane, on ne relève guère de particularités importantes, si ce n'est la production de Giovanni Battista Foggini : perpétuant la tradition de la mosaïque florentine composée de pierres dures *(pietre dure)*, il crée de splendides meubles en ébène, avec applications en bronze et marqueteries de pierres dures, d'ivoire et d'argent. En Émilie, c'est surtout dans la région de Parme et de Plaisance que l'on trouve les meilleurs exemples de meubles baroques aux élégants décors de motifs végétaux, colonnes torsadées, pinacles en forme de vase. A Rome, la ville du Baroque par

Commode génoise. *Typique de l'art génois, cette belle commode* « à bambocci« *(poupées) en noyer, exécutée au début du* XVIIe*, présente dans toutes ses parties visibles une série de petites figures sculptées.*

Commode lombarde. *La partie frontale est animée par une ligne morcelée, avec les profils en ébène ; les tiroirs, le dessus, les flancs sont en bois de cerisier et marquetés d'ivoire ; les pieds présentent deux dauphins affrontés en marqueterie. Détail : la délicate marqueterie du dessus.*

excellence, ce style trouve son expression la plus achevée dans des meubles-sculptures comme les consoles, dont le support central est souvent constitué par une seule figure allégorique sculptée en ronde bosse, ou dans des meubles entièrement peints selon la technique du trompe-l'œil, comme les bancs, les buffets à décor en faux marbre et les meubles comportant des panneaux peints. Dans l'Italie méridionale soumise à la domination espagnole, les centres les plus importants, Naples et Palerme, expriment leur goût baroque exclusivement dans la production de meubles de luxe selon les modèles en usage dans les autres centres de la péninsule, où la sculpture s'accompagne de l'usage de la dorure et de la marqueterie de marbre, souvent remplacée par le procédé beaucoup plus économique de la *scagliola* (un plâtre spécial à base de sélénium).

◆ MIROIRS. Le décor de fleurs, feuilles, draperies, chérubins qui caractérise le style baroque trouve sa pleine utilisation dans les grands cadres de miroirs, larges et généralement doubles, comportant une partie externe rectangulaire et une interne épousant la forme de la glace, interrompues par une bande lisse. Le corps du cadre est richement orné de figurations sculptées, de préférence feuillages et draperies à grands festons et trophées. Tout au long du siècle, Venise reste le principal centre de production.

◆ TABLE. Ce meuble évolue rapidement pendant cette période. La grande table de salon présente un corps richement ajouré ou sculpté ; les pieds – courbes – sont parfois sculptés en ronde bosse, reliés par des traverses qui constituent davantage un élément de décoration que de stabilité. A

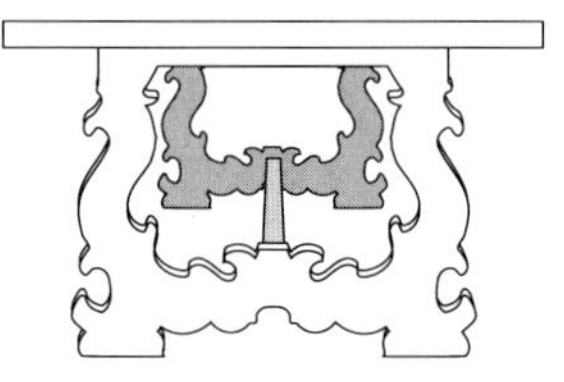

côté de tables somptueuses, et notamment les splendides exemplaires toscans au plateau en mosaïque florentine *(commesso di pietre dure)*, apparaissent des exemplaires plus modestes, de formes variées, également réélaborés à partir de modèles traditionnels comme la « table de moine » *(fratina)*, dont beaucoup se ferment ou s'allongent grâce à des mécanismes divers. Une innovation d'origine espagnole, mais également très utilisée en Italie, surtout en Vénétie : la traverse en fer qui sert à relier la base et le plateau de la table.

Cabinet. *Ce meuble en ébène, exécuté en 1709 par G.B. Foggini, présente les caractères typiques du Baroque : structure architecturale, applications de bronze doré, marqueteries en nacre et, surtout, mosaïque composée de pierres dures.*

L'Opificio di Pietre Dure de Florence

Le travail des pierres semi-précieuses – calcédoine, lapis-lazuli, agate –, réduites à de très fines lamelles et juxtaposées selon la couleur et le veinage de façon à composer un dessin, est une technique qui a fait fortune aux XVIIe et XVIIIe siècles. Les artisans de l'Opificio, fondé par les Médicis vers la fin du XVIe siècle, sont des maîtres incontestés de cette forme particulière d'incrustations de mosaïque composée de pierres dures, dite aussi mosaïque florentine. Cette fabrique, toujours en activité pour la restauration, est le noyau central de cet art. Le décor le plus fréquemment utilisé est de type naturaliste : avec des paysages, feuilles, motifs floraux, animaux, mais parfois il comporte aussi des scènes sacrées et des portraits.

◆ BUFFET. On rencontre les exemples les plus intéressants en Toscane, en Émilie et en Vénétie. Il comporte parfois un corps fermé par des tiroirs et des vantaux, avec un plan d'appui assez large, mais presque toujours un corps supérieur lui aussi fermé par de petits vantaux. Autre particularité des buffets émiliens : les décorations en application et, quelquefois, l'absence du corps supérieur. Une ligne plus mouvementée caractérise les meubles vénitiens ; les buffets toscans (*voir* figure) se distinguent par leur simplicité et leur harmonie.

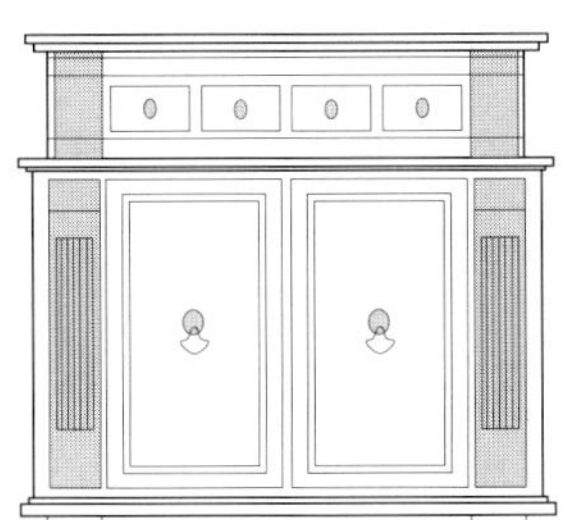

◆ CONSOLE. A l'origine utilisée comme table murale, et donc décorée seulement sur trois faces, la console – qui connaîtra un remarquable développement pendant tout le XVIIe siècle – est un meuble désormais répandu, notamment en Vénétie, sur lequel s'exprime librement toute l'invention décorative du Baroque. Les pieds en console, comme le bandeau qui supporte un plateau de marbre, sont sculptés de motifs de feuilles et volutes dans les pièces les plus simples ; le bois est généralement doré.

◆ PRIE-DIEU. Petite pièce de mobilier de chambre à coucher très répandu, du moins jusqu'au XVIIIe siècle. La base et l'appui pour les bras sont généralement mixtilignes, avec des épaisseurs marquées de moulurations.

LOUIS XIV

(seconde moitié du XVIIe siècle et début du XVIIIe)

◆ Le style Louis XIV marie tout à la fois l'esprit de la Renaissance italienne, reconnaissable dans les structures massives et carrées de la partie supérieure des meubles, et le courant baroque, parfaitement visible dans les bases, toujours très mouvementées et souvent entièrement sculptées.
Les meubles argentés et dorés, inspirés des modèles commandés par le roi pour la galerie des Glaces à Versailles, sont particulièrement en vogue ; l'usage abondant d'éléments architecturaux typiques, tels que balustres, pilastres et médaillons, leur confère un aspect grandiose quelque peu sévère.
Le décor, qui prend une place tout à fait prépondérante, est polychrome, de tons vifs, notamment dans les meubles importants, et requiert l'emploi de matériaux divers. Les éléments ornementaux – souvent des divinités arborant cuirasses, boucliers, cithares, ou cornes d'abondance, d'inspiration nettement classique – sont disposés au centre ou de façon symétrique. Très répandues également, les représentations d'animaux royaux ou fabuleux : sphinx, aigles, chevaux ailés, dauphins, mais surtout lions, dont une partie du corps seulement est figurée, généralement la tête ou une patte. On trouve naturellement aussi les symboles de la monarchie, tels la fleur de lys, la couronne et le sceptre, encadrés par des frises d'inspiration classique, comme les palmettes, et sertis de feuilles de laurier et de coquillages.
La difficile technique de la marqueterie permet la réalisation de riches compositions polychromes figurant avec un naturalisme extrême bouquets de fleurs, vases, oiseaux ou arabesques et rinceaux. Le noir de l'ébène forme généralement le fond, tandis qu'on utilise pour les incrustations des essences colorées, comme le buis, le poirier, le noyer et le houx, ou encore d'autres matériaux tels que la nacre, l'ivoire et l'argent.
Par la suite, la grande mode des laques chinoises suggère l'application de panneaux de laques d'origine sur l'ossature des meubles, notamment des cabinets.

Artistes et artisans

L'année 1667 est une date importante, car elle marque le début de l'activité de la

Page ci-contre. Cabinet. *Exécuté en 1683 par Cucci à la manufacture des Gobelins, il est représentatif de son art et du faste de l'époque. De structure architecturale, il est orné de mosaïques de pierres dures, sculptures, marqueteries et sculptures en bronze ; les vantaux masquent de multiples tiroirs.*

Ci-dessous. Petite bibliothèque. *Splendide exemplaire de Boulle, ce petit meuble allie au dessin raffiné de l'ensemble un mélange suggestif de marqueterie de cuivre et d'écaille, des applications de bronze doré et d'élégants décors à grotesques. Le détail montre la décoration du panneau central.*

manufacture des Gobelins, où serait né et se serait développé le style Louis XIV. C'est là, en effet, que sous l'autorité de Charles Le Brun, peintre du roi, œuvrent des artistes et artisans extraordinaires, comme Domenico Cucci, qui exécute des meubles somptueux en ébène, décorés de sculptures et miniatures, et Filippo Caffieri, remarquable bronzeur et décorateur, mais également grand spécialiste de la sculpture sur bois. C'est André-Charles Boulle qui, incontestablement, incarne l'artiste-artisan de cette époque : dans son atelier du Louvre, il n'exécute pas seulement les commandes royales, mais aussi celles des nobles et des riches bourgeois. Il crée des meubles d'une extrême préciosité, qu'il habille de marqueteries avec une habileté stupéfiante, utilisant des bois exotiques, du cuivre et des matériaux comme la corne et l'écaille. Boulle exerce une influence

ANDRÉ-CHARLES BOULLE
(1642-1732)
Il incarne toute cette période. Né à Paris dans une famille d'ébénistes, dont il hérite l'art et le métier, Boulle est en outre peintre, décorateur et excellent bronzeur. Devenu très célèbre grâce à son exceptionnelle production, il est nommé ébéniste du roi en 1672, et loge au Louvre. Louis XIV le charge d'exécuter les tapisseries pour le palais de Versailles. Sa production est représentative à la fois du style Louis XIV et de l'évolution ultérieure du goût. Boulle est, en effet, l'un des premiers à avoir introduit des lignes courbes dans la structure des meubles, préfigurant alors certaines transformations qui caractériseront le mobilier du XVIIIe *siècle.*

DOMENICO CUCCI
(1635-1704)
Né à Todi ; après une période d'apprentissage à Florence, il se rend en 1669 à Paris – très probablement appelé par Mazarin –, où il est nommé, aux côtés de Boulle, premier ébéniste du roi. C'est également un très habile bronzeur et aussi un extraordinaire graveur. Rares sont ses meubles qui nous sont parvenus, un grand nombre d'entre eux ayant été démontés sous le règne de Louis XIV, afin d'en récupérer les pierres incrustées.

JEAN BERAIN
(v. 1637-1711)
Dessinateur, graveur et décorateur de théâtre. Dès 1674 et pendant trente ans, il est actif à la cour de Louis XIV ; alors dessinateur de la chambre du roi, il acquiert la célébrité grâce à son recueil gravé formé de cinquante planches de dessins, masques, décorations, costumes et décors de théâtre, dont un grand nombre publiés en trois volumes in-folio. Son frère Claude et son fils Jean sont également d'excellents ornemanistes.

Armoire à deux portes de Boulle, décorée de belles marqueteries et d'applications en bronze. Ce meuble somptueux témoigne du génie du grand ébéniste français. Une innovation tout particulièrement réussie : les élégantes bandes horizontales masquant les charnières.

considérable, qui se prolonge tout au long du XVIIe siècle. Il aura d'innombrables imitateurs, si bien qu'il est difficile à l'heure actuelle d'identifier formellement les vrais et faux boulles. Un autre décorateur particulièrement influent, Jean Bérain, repropose les décorations à grotesques de la Renaissance. Entre autres sujets typiques, on trouve des scènes représentant des singes, des maquettes d'inspiration orientale et des compositions avec des instruments de musique enrichis de rinceaux, masques, drapés ou bien encore festons.

Le luxe comme style de vie

Sous le règne de Louis XIV, le Roi-Soleil, la cour de France, qui voit grandir son prestige politique et artistique, réussit à imposer aux autres cours européennes son style

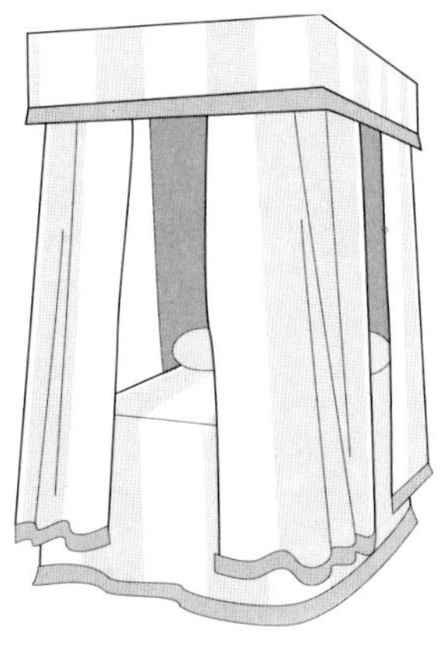

◆ LIT. Comme à d'autres meubles jusqu'ici quasiment ignorés, les ébénistes s'intéressent au lit, dont ils mettent en évidence la structure et les éléments du décor, presque toujours dorés. Naît ainsi un nouveau type de lit dit « à la duchesse » (*voir* figure), qui rejette ses piliers et dont le baldaquin, richement décoré aux angles, surplombe directement la surface de la couche. Les lits les plus luxueux sont dits « d'apparat » : tendus de tissus précieux, ils témoignent de la magnificence tout à fait caractéristique de cette période.

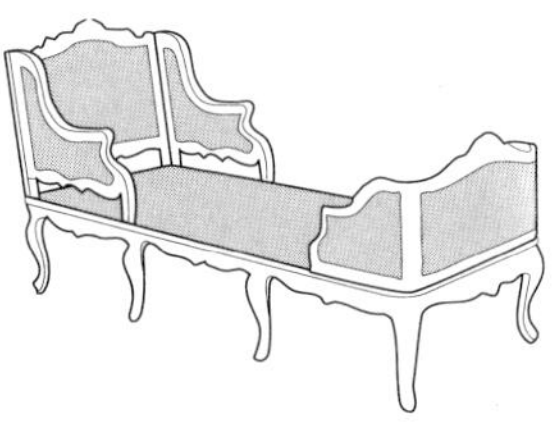

◆ LIT DE REPOS. Longue banquette portée par de courts pieds réunis par des entrejambes, il peut comporter un ou deux dossiers garnis ou exécutés en bois sculpté. Un matelas et deux coussins ronds en augmentent le confort. Le lit de repos apparaît au début du XVIIe siècle.

Cabinet. *Exécuté dans le style de Boulle, ce beau cabinet daté du milieu du XVIIe siècle, à deux corps en bois d'amarante et abondamment marqueté d'étain, est du plus grand effet. Le vantail central du corps supérieur, en forme de « temple », est d'une grande élégance.*

fastueux et solennel. Dans la seconde moitié du XVIIe, après une longue période de suprématie du goût italien, et grâce aussi à la présence significative de nombreux artistes et artisans italiens à Paris, un équilibre formel s'instaure de façon stable entre les tendances d'inspiration classique-Renaissance, qui se réfèrent aux exemples grandioses de l'architecture romaine, et le courant plus proprement baroque. L'activité de la manufacture des Gobelins offre une illustration de cet équilibre ; elle produit une grande quantité de tapisseries, meubles, céramiques et tous autres objets pouvant servir à orner les nombreuses demeures royales (notamment Marly, Fontainebleau, Saint-Germain et le Grand Trianon). Mais un changement significatif s'opère dans la dernière décennie du siècle ; après 1688, en effet, suite à certaines défaites militaires et, donc,

◆ CONSOLE. Table d'applique, destinée à l'époque à décorer les grandes galeries ; elle se caractérise par une base très mouvementée et généralement sculptée uniquement sur les trois faces visibles. Les pieds, de structure symétrique, sont reliés par des traverses souvent très articulées, présentant un élément décoratif central. Le dessus de la console est en marbre ; les parties en bois sont non seulement sculptées, mais finement dorées. Au-dessus, on place fréquemment un miroir richement encadré, le tout offrant un bel ensemble.

◆ TORCHÈRE. Petit meuble dérivé du guéridon, déjà présent au début du XVIIe siècle. Composées d'un plateau supérieur porté par une colonne ou une cariatide, les torchères étaient utilisées à l'époque de Louis XIV pour supporter les flambeaux ; dans les salons et les galeries, elles constituaient une suite avec des consoles et tables d'applique qui reprenaient le même dessin.

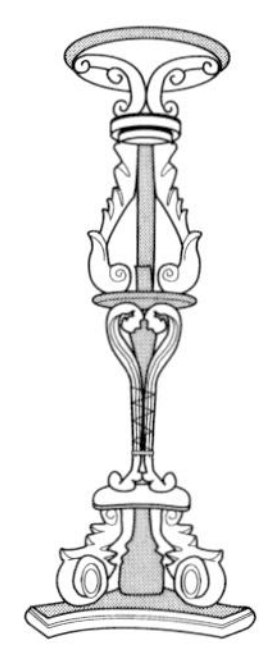

Ci-dessous. Coffre. *Remontant au tout début du XVIIIᵉ siècle, il présente une structure très simple ; mais sa somptueuse décoration est caractéristique du style Louis XIV.*

En bas. Table-console. *Ce typique meuble d'apparat, aux proportions massives, présente une structure symétrique et des surfaces richement sculptées et dorées. Les pieds en balustre sont reliés par un système d'entretoises en double tenaille. Le détail montre le médaillon central, dans lequel sont gravées des armoiries.*

à la moindre disponibilité en argent qui en résulte, la cour de France doit mener une vie moins fastueuse. La mort de Le Brun, en 1690, contribue également à déterminer un véritable changement de style. Claude III Audran, qui lui succède, oriente le goût vers une plus grande légèreté, utilisant des formes moins rigides et moins austères, des lignes et des décors préfigurant le nouveau siècle.

◆ FAUTEUILS ET CHAISES. Le fauteuil offre une structure massive et linéaire. Les pieds, généralement en bois sculpté et doré, reliés par des entrejambres en X ou des traverses en H (*voir* figure), s'incurvent, à l'égal des bras, conférant à l'ensemble une plasticité sculpturale ; dossier et siège sont recouverts de soie lourde, de velours, parfois même de tapisserie. La chaise ne se différencie du fauteuil que par sa taille plus petite et l'absence d'accotoirs. Le bois peut être teinté de rouge ou de vert, ou doré, assorti à la tapisserie.

◆ ARMOIRE. Meuble traditionnel, parmi les plus représentatifs de l'époque Louis XIV. Elle peut être à un ou deux corps superposés ; le premier type est très répandu, avec le devant fermé par deux portes et un couronnement très saillant. On en trouve des modèles de menuiserie, plus rudimentaires, ou d'ébénisterie, richement décorés. On attribue à Boulle le mérite d'avoir porté ce meuble à la perfection décorative en utilisant bois précieux, écaille, nacre, ivoire et métaux richement ornés de motifs naturalistes ou géométriques.

Meuble à deux corps. *Plaqué d'ébène, marqueté, avec des applications de bronze doré. Le corps supérieur de ce meuble (attribué à Boulle) est en forme de cabinet.*

De la menuiserie à l'ébénisterie

Au XVIIe siècle, une distinction très nette s'opère dans la réalisation des meubles en fonction des commandes. La production courante, œuvre de menuiserie, consiste en des pièces d'aspect plutôt rudimentaire, dans lesquelles la qualité n'est en aucune manière prise en compte. Souvent peintes ou dorées, elles sont destinées au marché des classes moins fortunées ; les exemplaires recouverts de tissu sont assez répandus. Pour la fabrication des meubles de luxe, une nouvelle catégorie d'artisans apparaît : les ébénistes ; sous la direction d'experts décorateurs, leur habileté technique, qui souvent tient du prodige, donne naissance à des œuvres d'une qualité véritablement exceptionnelle.

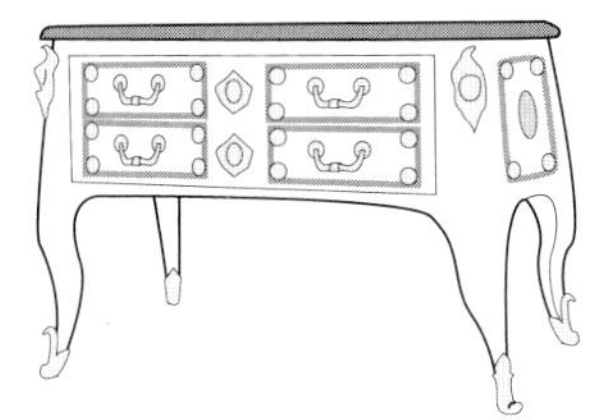

◆ COMMODE. Meuble bas, à face mouvementée et à plusieurs rangs de tiroirs. Né au XVIIe siècle, il a connu la plus large diffusion aux siècles suivants, en conservant pratiquement la même forme.

◆ CABINET. Meuble typique du début du XVIIe siècle, destiné à serrer des objets précieux ; il se compose d'un corps d'armoire à deux vantaux supporté par un piètement élevé : deux paires de colonnes reliées en bas par des traverses reposant sur des pieds en forme de boule aplatie. L'intérieur est divisé en tiroirs et casiers, peints et incrustés de matériaux divers. Les vantaux sont souvent décorés. L'extérieur est généralement recouvert d'ébène plaqué ou marqueté, avec des parties peintes, des charnières et poignées en bronze doré.

WILLIAM and MARY
(fin du XVIIe siècle et début du XVIIIe)

◆ Les principaux types de meubles anglais resteront sensiblement les mêmes pendant plus d'une cinquantaine d'années, soit de la période élisabéthaine et jacobean à la restauration des Stuarts opérée par Charles II, en 1660. Le retour d'exil du roi et de ses fidèles, qui ont pris les habitudes de luxe des cours européennes, suscite en effet une vive réaction contre le goût puritain, alors prédominant. D'où un profond renouveau des mœurs, et donc du mobilier, accentué encore par le tragique incendie qui, en 1666, détruit plus de dix mille maisons. Le mobilier de l'époque Restauration *(English Restoration)* allie à l'influence hollandaise, visible dans l'utilisation de sièges cannés (canne d'Inde) et la marqueterie à décors floraux, le goût français du Louis XIV, dont l'élégance inspire de nombreux meubles : cabinets richement sculptés et dorés, miroirs marquetés d'écaille et d'argent, chaises travaillées et peintes. C'est durant le règne de Charles II que la Compagnie des Indes anglaise entreprend l'importation de meubles et d'objets chinois et japonais, qui marqueront un véritable tournant dans le goût européen.
Le changement suivant advient sous le règne de la reine Marie II Stuart (1689-1694) et de son mari, le Hollandais Guillaume III d'Orange, qui devait rester seul sur le trône après la mort de sa femme (1694-1702).
L'influence française s'étend, encouragée par les souverains, grâce également à l'afflux de nombreux artisans venus de France après la révocation de l'Édit de Nantes (1685). L'un d'eux, Daniel Marot, dessine le mobilier de Hampton Court Palace et, avec la publication en 1702 de ses livres de dessins *Œuvres*, diffuse en Angleterre sa version personnelle du style Louis XIV ; il faut citer, parmi les grands ébénistes, Gerreit Jensen et John Pelletier, respectivement d'origine flamande et française.

Cabinet.
La partie supérieure, rectangulaire, est close de vantaux peints en laque de Chine ; la base, argentée, est en bois sculpté de motifs baroques typiques.

La transformation du goût

Les meubles anglais se transforment, revêtant un aspect plus élégant et plus séduisant, grâce à l'application de motifs ornementaux tels qu'arabesques, feuilles d'acanthe, rinceaux. Les dossiers des chaises montrent d'amples courbures et un décor de fleurs et de rubans sculptés, les pieds affichent la forme caractéristique en cabriole, tandis que croît l'importance des garnitures d'étoffe. Les cabinets, bureaux, tables sont en marqueterie

Bureau. *Attribué à Jensen, il est marqueté d'écaille, de cuivre et d'étain.*

d'ébène, de cuivre et d'argent ; les supports peuvent être tournés ou carrés, affectant la forme typique en balustre, reliés par des traverses en X ou en H, qui prennent souvent l'aspect de demi-cercles juxtaposés ; les pieds sont presque toujours en forme d'« oignon ». Très répandus, les meubles dorés et laqués suivent la vogue croissante des chinoiseries ; on en trouve aussi quelques-uns revêtus de teinte argent. Autre élément tout à fait déterminant de cette évolution, le remplacement du chêne, encore largement utilisé pour les meubles rustiques, par le noyer, dont on apprécie la chaude tonalité et la qualité de la fibre, nettement plus compacte, qui favorise l'usage très répandu de la sculpture et du tournage. D'autres techniques sont largement utilisées pour la réalisation des décors : le placage, la marqueterie d'origine française – qui consiste à recouvrir la surface du meuble d'une mince feuille de bois de

GRINLING GIBBONS
(1648-1721)
Né à Rotterdam de parents anglais, il retourne tout jeune en Angleterre, où il se fait bientôt remarquer comme sculpteur, si bien qu'il est nommé « maître graveur en bois de la Couronne ». Bien que partageant son activité entre la sculpture sur bois et la sculpture sur pierre – il exécuta de nombreuses statues en marbre ou en bronze et des monuments funéraires –, ses plus grandes réussites sont ses œuvres en bois, élégantes et débordantes de fantaisie, aux motifs caractéristiques de guirlandes de fleurs, fruits et animaux.

JOHN PELLETIER
(?-après 1710)
Ébéniste français venu en Angleterre après la révocation de l'Édit de Nantes (1685). Son œuvre est attesté à dater de 1690. Le roi Guillaume III d'Orange lui confie l'ameublement de Hampton Court, demeure où sont toujours conservés les rares meubles qui lui sont attribués, aux motifs caractéristiques finement sculptés.

GERREIT JENSEN
(?-après 1715)
Ébéniste hollandais appelé en Angleterre par Guillaume III d'Orange, il peut être considéré comme l'artisan de l'influence hollandaise sur le mobilier anglais de l'époque. Finement marquetés d'ivoire, de cuivre et de nacre, ses meubles, d'une grande somptuosité, ont été comparés à ceux du plus grand ébéniste français de l'époque, A.-C. Boulle.

DANIEL MAROT
(1663-1725)
Architecte et dessinateur français, réfugié en Hollande après la révocation de l'Édit de Nantes (1685), il se fixe en Angleterre et devient premier architecte de Guillaume III d'Orange. Même si son œuvre est moins à la mode que celui de ses compatriotes, il est le représentant le plus éloquent de la pénétration du goût Louis XIV en Angleterre, à la période située à la charnière des XVIIe et XVIIIe siècles.

Cabinet on chest.
Meuble à deux corps : une commode à tiroirs surmontée d'un cabinet. Il est en bois décoré en marqueterie de motifs floraux, dits seaweed *ou « à arabesques », rappelant les algues.*

Les pieds sont en forme de boule aplatie, ou « en oignon ».

placage dans laquelle sont auparavant découpés les éléments du décor – et l'*inlay*, où les éléments préalablement découpés viennent s'emboîter très exactement dans le panneau de fond, évidé selon le motif désiré. Typiquement anglais – même si cette technique est très vraisemblablement d'origine flamande –, le *veneering* consiste à mettre en valeur les veinages du bois en juxtaposant des bandes de largeur différente, collées sur la surface du meuble. On parvient ainsi à des motifs variés du plus bel effet, appelés, selon le dessin alors obtenu, « en arête de poisson » ou « à l'huître » *(oyster shell)*.
Le mobilier anglais acquiert donc, durant cette période, les qualités formelles et structurelles qui lui sont propres et le feront universellement apprécier : solidité, extrême élégance et confort.

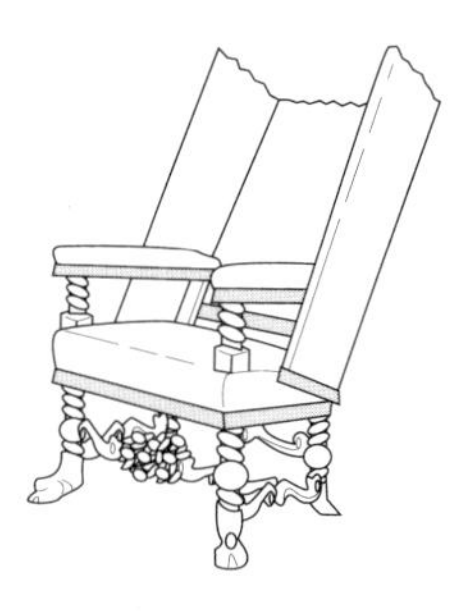

◆ Sleeping Chair. Fauteuil de repos typiquement anglais, composé d'un dossier réglable, comportant deux larges panneaux latéraux (« oreilles ») et formant une véritable niche où se détendre. La *sleeping chair* peut être avec ou sans accotoirs, mais elle est toujours rembourrée ; la structure, dorée ou en bois naturel, comporte des éléments sculptés et tournés.

◆ Chaises et Fauteuils. Ils présentent un aspect sévère, à peine égayé par les décors tournés et sculptés. Les dossiers sont garnis d'étoffe, cannés (canne d'Inde), peints de motifs orientaux ou sculptés de petits décors réguliers évoquant la dentelle ; pieds et traverses sont tournés ou sculptés de festonnages, feuilles d'acanthe ou blasons.

◆ Press Cupboard. Variante du *court cupboard* (meuble de hauteur moyenne servant essentiellement à ranger la vaisselle), sa partie supérieure présente la même forme ; celle du bas, close de vantaux, est en revanche plus haute. Né dans les maisons campagnardes et utilisé comme buffet-crédence, il est à l'origine de la version anglaise de l'armoire dite *clothes press* ou, plus simplement, *press*.

Ci-dessous. Table. *Caractérisée par des supports silhouettés en S, reliés par des traverses en X et des pieds « en oignon » ; le plateau et la ceinture présentent le typique placage avec motif « à huître ».*

En bas. Armoire à deux corps. *Elle présente, à partir du XVIIe siècle, un fronton caractérisé par des panneaux octogonaux et des marqueteries blanches, d'ivoire et de nacre, se détachant sur le chêne.*

La marqueterie

Il s'agit d'un décor à motifs géométriques, floraux ou bien figuratifs, obtenu par l'assemblage de pièces de bois ou autres matériaux (ivoire, métaux, pierres, nacre) appliqués sur un fond de menuiserie. Déjà utilisée aux époques précédentes (la « certosina » italienne du XVe siècle et les tableaux de marqueterie, ou « intarsia », de la Renaissance), la marqueterie connaît un nouveau développement aux XVIIe et XVIIIe siècles : en France, l'artisan spécialiste de cette technique, l'ébéniste, appartient même à une corporation tout à fait spécifique.
La marqueterie de bois utilise des essences naturelles aux couleurs variées ou traitées pour obtenir des teintes spéciales. Boulle est l'inventeur et le maître de cette technique. On lui doit ladite marqueterie Boulle : deux feuilles, une de cuivre et une d'écaille, sont découpées et collées, puis séparées ; on obtient ainsi deux panneaux ornés du même décor ; sur le premier, ce décor s'inscrit en cuivre sur un fond d'écaille (« en première partie »), sur l'autre les motifs d'écaille se détachent sur un fond en cuivre (« en contrepartie »). Ce procédé permet d'avoir des surfaces contrastées sur un même panneau. En Angleterre, G. Jensen produit des marqueteries comparables à celles qui sont réalisées par Boulle.

Intérieurs des XVIe et XVIIe siècles

On peut se représenter schématiquement la demeure des riches seigneurs de la Renaissance comme un immeuble à plusieurs étages : le rez-de-chaussée abrite les services, au premier étage habite généralement le propriétaire, le dernier, réservé aux domestiques, sert aussi à entreposer les meubles destinés aux réceptions. Peu de pièces sont spécialisées : la cuisine d'abord, la chambre à coucher ensuite, qui commence à apparaître comme une pièce à part par rapport au reste de la maison, le bureau enfin, petite pièce pour lire, écrire et traiter les affaires. Le salon, toujours dominé par une grande cheminée, est la pièce la plus représentative ; il est donc décoré de fresques ou de tapisseries et orné des meubles parmi les plus luxueux.
Les maisons des classes plus modestes n'ont qu'une seule pièce ou comportent deux niveaux : un rez-de-chaussée où se déroulent toutes les activités quotidiennes, comme la cuisine, les repas, le travail, les réceptions, et un étage supérieur, qui est, lui, réservé pour la nuit.
Au XVIIe siècle, la recherche de confort suscite l'apparition de nouveaux meubles ; avec le Baroque et la naissance de la bourgeoisie se répand le goût de décorer la maison, comme en témoigne un genre de peinture nouveau dans lequel les Hollandais se révèlent des maîtres incomparables : les vues d'intérieurs.

Ci-dessus. Chambre à coucher. *Cette pièce est dominée par une cheminée et un grand lit à baldaquin, du type à tiroirs. Andrea del Sarto,* Nativité de la Vierge. *Annunziata, Florence.*

Ci-dessous. Salon. *L'intérieur est richement décoré, mais manque d'intimité : probablement un salon de représentation. D: Ghirlandaio,* La Naissance de la Vierge. *Santa Maria Novella, Florence.*

Chambre à coucher. *Le lit est logé dans une alcôve fermée par de lourdes tentures. Au fond, l'enfilade des autres pièces de la maison. V. Carpaccio,* Nativité de la Vierge. *Académie Carrare, Bergame.*

Salon. *Typiquement Renaissance, il reflète le pouvoir politique et économique et le prestige de son propriétaire. V. Carpaccio,* Les Adieux des Ambassadeurs, *Galerie de l'Académie, Venise.*

Chambre à coucher. *La pièce séduit par la vérité qui s'en dégage, avec le lit à baldaquin, la table, la bibliothèque. V. Carpaccio,* Le Rêve de sainte Ursule. *Galerie de l'Académie, Venise.*

Ci-dessus. Chambre à coucher. *Dans cette pièce typiquement XVII*[e]*, simple dans l'ensemble, le lit à baldaquin est dominé par la lourde tenture. O. Gentileschi,* Annonciation. *Galerie Sabauda, Turin.*

A gauche. Cuisine. *De la pièce se dégage une joyeuse confusion, avec les aliments prêts ou à cuire et le feu allumé. B. Strozzi,* La Cuisinière. *Musée du palais Rosso, Gênes.*

Cuisine. *Après le repas, la vaisselle sèche, tandis que le feu se consume. G.M. Crespi,* La Laveuse de vaisselle. *Collection Contini-Bonaccossi, Florence.*

Chambre à coucher. *Ce tableau hollandais montre le rôle de la chambre à coucher, où l'on se tient le jour aussi, avec la table près de la fenêtre. G. Coques,* Intérieur. *Musée d'art et d'histoire, Genève.*

Salle à manger. *Cette salle d'un château suisse est dominée par la grande table au centre ; à droite, un poêle de faïence ; à gauche, un buffet. Anonyme,* Intérieur. *Collection privée.*

Salon. *Cet intérieur hollandais de la seconde moitié du XVIIe siècle montre un salon de la riche bourgeoisie. La table est recouverte d'une splendide nappe turque ; au fond, une élégante cheminée ornée de colonnes de marbre. E.-H. Van der Neer,* Intérieur. *Museum of Fine Arts, Boston.*

Ci-dessus. Chambre. *La scène représente peut-être une chambre à coucher hollandaise. Les meubles sont disposés le long des murs pour laisser libre l'espace central. P. Jansses,* Intérieur. *Städelches Galerie, Francfort.*

A gauche. Chambre à coucher. *Charmante scène hollandaise d'une dame faisant sa toilette. Le lit encore défait souligne l'impression de désordre. Anonyme,* Intérieur. *The Minneapolis Institute of Arts.*

Queen Anne et Early Georgian

◆

Louis XV

◆

Chippendale

◆

La Vogue des chinoiseries

◆

Louis XVI

◆

Néo-Classique et Regency

◆

Directoire

QUEEN ANNE et EARLY GEORGIAN

(première moitié du XVIIIe siècle)

◆ Au début du siècle, avec l'accession au trône de la reine Anne (1702-1714), le mobilier anglais tend à plus de sobriété, dégagé de cette recherche de luxe qui avait caractérisé la période William and Mary. Prenant un certain recul à l'égard des modes dictées par la cour du Roi-Soleil, l'Angleterre commence à apprécier, dans le mobilier, non seulement la préciosité des matériaux utilisés, mais aussi l'élégance des lignes, la qualité de la facture et, surtout, son caractère fonctionnel ; autant d'éléments qui constitueront les traits marquants du goût anglais des périodes successives. Le Queen Anne sera ainsi considéré davantage comme un style de transition que comme un véritable renouveau. On retrouve les mêmes décorateurs et ébénistes qu'à la période précédente : Gerreit Jensen, Daniel Marot, Grinling Gibbons, et aussi Thomas Roberts, pendant un certain temps fournisseur attitré de la cour. Les lignes des meubles se font plus massives ; chaises et fauteuils, souvent pourvus des typiques et confortables « oreilles », tendent à abaisser les dossiers, en bois sculpté ou rembourrés, et à utiliser de plus en plus les supports dits « en cabriole », décorés au sommet d'un motif en coquille et se terminant par un sabot ou une serre étreignant une boule *claw-and-balt* ; les riches traverses se simplifient avant de disparaître complètement.

Apparaît le *settee*, sorte de petit sofa – celui à double dossier sera appelé « siège d'amour » *(love seat)* –, qui est entièrement rembourré, sauf les pieds arqués ; broderie et velours représentent les étoffes de garniture les plus en usage. Très répandus, le bureau et le *bookcase*, plus complexe, sorte de bureau-bibliothèque présentant un couronnement à fronton, en plein cintre, en double arc brisé ou bien encore en volutes.
Le corps supérieur, en retrait, est aménagé en casiers, niches ou tiroirs, et fermé par des vantaux ou des portes pleines ; le corps inférieur comporte

Chest of drawer. *En noyer, il est composé de deux éléments superposés, la partie inférieure en forme de bureau.*

Ci-dessous. Coffre. *Inspiré du style de Kent, ce coffre en bois doré présente un riche décor en bas- et haut-relief (voir détail). Les pieds affectent la forme classique en pattes de lion.*

En bas. Fauteuil. *Exécuté vers 1710, il présente les typiques « oreilles ». Il est entièrement recouvert d'une tapisserie d'époque à petit point. Les pieds sont en cabriole.*

une partie brisée servant d'écritoire et des tiroirs de hauteur variable ; les pieds sont en boule ou en sabot. Ces meubles sont plaqués en noyer selon la technique traditionnelle du *veneering*, décorés de marqueterie ou laqués de rouge, noir et vert à la mode chinoise ou *japanning*, nom donné à l'art de la laque d'imitation.

Le style Early Georgian

L'accession au trône de George Ier (1714-1727) n'ayant pas entraîné de changements brusques, l'influence du style Queen Anne se fait sentir au moins jusqu'en 1720. La période Georgian, qui englobe les règnes successifs de quatre souverains portant le nom de George, ne forme pas un tout homogène, bien qu'elle soit subdivisée en début (Early : 1714-1760) et fin du Georgian (1760-1830) ; durant quelque cent vingt ans s'y épanouiront

THOMAS ROBERTS
(mort après 1714)
Ébéniste et sculpteur sur bois actif de 1685 à 1714, connu pour sa production de lits, chaises et écrans pare-feu ; il fournit la cour, travaillant pour Hampton Court Palace (1701) et à Chatsworth (1702). A sa mort, l'atelier passe à Richard Roberts (très probablement son fils), sur lequel on est renseigné jusqu'en 1729.

BENJAMIN GOODISON
(mort après 1767)
L'un des plus grands ébénistes anglais de la période Early Georgian. Actif à Londres entre 1727 et 1767, il exécute les commandes de la cour et des nobles : tables, bibliothèques, chaises, candélabres au dessin incisif, d'une remarquable facture et d'une élégance raffinée. Son style s'apparente à celui de William Kent, dont il repropose certains motifs décoratifs tels que coquilles, guirlandes et feuilles d'acanthe.

WILLIAM KENT
(1684-1748)
Peintre et architecte, il est l'animateur du mouvement néo-palladien au début du Georgian. En 1727, son recueil Some Designs of Inigo Jones *donne sa propre réélaboration de l'œuvre de Palladio. Contrastant avec la si remarquable rigueur de son architecture, les meubles créés par Kent offrent un mélange d'éléments classiques et de motifs du Baroque tardif, empreints, cependant, d'une certaine mesure et d'élégance raffinée.*

JAMES MOORE
(?-1726)
Il fabrique, seul ou en collaboration avec John Gumley, des meubles qui comptent parmi les plus beaux de l'époque. Adepte du style baroque tardif préconisé par William Kent, il exprime le meilleur de son œuvre dans la composition de meubles dorés ou ornés de pâte dorée – ou gesso.

Cabinet. *Cet exemplaire en laque d'Orient comporte une console de support dorée et décorée de grecques.*

bien des styles et personnalités différents : du Chippendale au Regency, du Néo-Gothique au style Adam. Les deux périodes sont par conséquent vues davantage comme une subdivision historique que comme une expression unitaire de styles.
Les premières décennies du XVIIIe siècle voient s'affirmer une tendance, le Néo-Palladien, qui apparaît comme un renouveau de l'architecture avec la parution, en 1715, de deux ouvrages : les *Quatre Livres d'architecture* de Palladio et le *Vitruvius britannicus* de Colin Campbell ; il influencera aussi en partie le mobilier, grâce à l'œuvre de l'architecte William Kent. Ce dernier, mêlant habilement ordres classiques et formes rigoureuses avec le faste de la fin du Louis XIV, parvient à exprimer avec intelligence un monde fait de richesse, d'élégance et de proportion. Bibliothèques, tables, meubles à deux corps,

◆ WINDSOR CHAIR. L'une des plus typiques chaises en bois de style rustique, dont la production, dans ses nombreuses versions, est ininterrompue du début du XVIIe à nos jours. Dérivée des meubles à emboîtement simple *(stick furniture)*, elle est formée d'un dossier arqué en fer à cheval, dans lequel sont fixés de nombreux barreaux verticaux ; le siège est fait d'une épaisse surface plane en bois épousant la forme du corps, les pieds sont écartés et réunis par des traverses. Parmi les variantes, caractérisées par la forme différente du dossier, la *comb-back* présente un dossier assez haut, et la *hoop-back* (*voir* figure) des barreaux de hauteur inégale avec un dossier en fer à cheval.

◆ BACHELOR'S CHEST. Petite commode « de célibataire ». Le dessus est rabattable dans les variantes « à secrétaire » ou « à

bureaux, sofas sont marqués par des frontons, pilastres et corniches, dans lesquels les classiques volutes, les dentelles et les cartouches s'allient harmonieusement aux éléments du répertoire baroque tels que sphinx, putti et coquillages.
Dans le même temps se poursuit l'extraordinaire succès de la mode des meubles laqués et peints de figures orientales, tandis que le goût du public plus remuant se rapproche des exubérances extrêmement fantaisistes du Rococo français.
Parmi les grands ébénistes s'illustrent particulièrement Benjamin Goodison, fournisseur royal à partir de 1727 ; Giles Grendey (1683-1780), l'un des premiers à signer ses meubles laqués ; John Gumley et James Moore qui, à titre individuel ou ensemble, produisent des meubles exceptionnels, ornés notamment en pâte dorée, ou *gesso*, et dorés.

Les meubles en gesso

L'usage du plâtre doré dans la décoration du mobilier caractérise la production anglaise dans les premières décennies du XVIIIe siècle. Le minerai, finement broyé et mélangé à diverses substances, est porté à une température élevée ; puis le mélange obtenu est appliqué sur les parties du meuble, d'abord sommairement sculptées. Quand la pâte a durci, on exécute une sculpture plus fine, puis les motifs sont poncés et on applique sur le tout une feuille d'or. Les parties fines et plus en relief sont renforcées par une armature métallique. La grande diffusion des meubles dorés à la feuille est due à l'effet précieux de ciselure que permet le travail de la pâte.

coiffeuse » ; quatre rangs de tiroirs, de hauteur décroissant de bas en haut, divisent la façade du meuble ; deux à quatre tiroirs partagent le premier rang, deux tiroirs le second, les deux derniers rangs comportent un tiroir chacun. Ces meubles, presque toujours en placage de noyer, ont une forme sobre et linéaire ; les pieds sont carrés et en console.

◆ TABOURETS. Les types de forme rectangulaire sont très répandus, les modèles ovales et ronds plutôt rares. Le siège, garni, peut s'enlever ; les pieds, réunis à l'époque précédente par des traverses formant une sorte de X, se transforment en simples colonnettes tournées, avant de disparaître laissant en évidence la ligne sinueuse « en cabriole » ; ils se terminent en *claw-and-ball* ou en sabot. Les tabourets peints sont en hêtre, les autres en noyer.

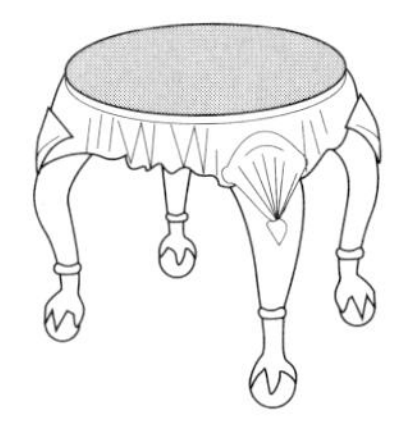

◆ MIROIRS ET CADRES. Le miroir, placé au-dessus d'une table murale ou entre deux fenêtres, devient de plus en plus un élément précieux du décor intérieur. Les cadres, dorés ou argentés, aux parties latérales décorées de motifs floraux en pâte dorée *(gesso)*, s'enrichissent en leur partie supérieure d'une coquille sculptée et dorée, ou d'un cartouche avec les armoiries de la famille. D'autres cadres comportent des applications en verre églomisé (technique française, mais largement utilisée en Angleterre) : verres colorés ou garnis de dorures.

LOUIS XV
(début du XVIIIe siècle à 1770)

◆ Le style Louis XV, dit également rocaille ou rococo, se dégageant des formes sévères et monumentales, des lignes droites et de la rigueur classique du décor de l'époque précédente, évolue vers une plus grande légèreté des formes, avec le triomphe des lignes courbes, l'ordonnance serrée et très fantaisiste des éléments décoratifs ; les meubles sont de petite dimension et de proportions raffinées. Cependant, le passage entre le Louis XIV et le Louis XV n'est pas direct. En effet, dès la fin du XVIIe siècle, quelque chose se modifie dans le Louis XIV : il suffit de songer à l'évolution du mobilier Boulle, l'un des protagonistes de ce changement. Un autre pas est accompli au cours de la période dite de la Régence (1715-1723), lorsque, à la mort du Roi-Soleil, le sort du royaume se trouve entre les mains de Philippe d'Orléans, en raison du très jeune âge de Louis XV (1710-1774). On retrouve généralement les mêmes ébénistes qu'à l'époque de Louis XIV ; mais, parmi les nouveaux noms, se détachent les figures d'Oeben et de Cressent ; on doit à ce dernier l'invention du profil « en arbalète », qui caractérise le tablier de ses commodes.

L'évolution du goût

On peut la considérer comme achevée vers 1730, avec l'épanouissement du style rococo (ou rocaille), qui abandonne toutes les références décoratives et architecturales du répertoire baroque pour déployer une

Commode. *Exécutée vers 1714 par Cressent, elle présente les éléments les plus caractéristiques du style Louis XV. Le détail montre des poignées en forme de dragon, dues à la mode des chinoiseries.*

Ci-dessous. Bureau à abattant. *Exemple de meuble féminin, ce petit bureau aux élégantes proportions est dit aujourd'hui en « dos d'âne », en raison de la forme particulière, en pente, du dessus.*

En bas. Console. *Exécutée en 1769 par Bernard II Van Risen Burgh, elle témoigne bien d'un merveilleux sens de l'équilibre dans le dessin des pieds et le volume du corps du meuble, qui abrite un tiroir bien dissimulé. Le devant est orné de bronzes dorés et plaqué d'un panneau de laque du Japon.*

libre juxtaposition de formes sinueuses et ondulantes : coquilles, fleurs, contours de roches, vagues et écumes, cascades ; les fleurs sont isolées ou forment des compositions en bouquets ou en massifs. Très répandues, les appliques de bronze sont souvent d'une facture exquise, que soulignent dans un élégant contraste les profils sinueux et les surfaces mouvementées des meubles ; le décor, richement sculpté, envahit parfois presque totalement le meuble ou, comme dans les fauteuils, recouvre certaines parties du dossier et les moulurations. Les bois peuvent être naturels, cirés ou vernis, ou encore peints de couleurs vives, souvent deux tons, de façon à rehausser les parties en relief ; on trouve aussi des éléments dorés ou argentés. Les placages dessinent des rectangles et des motifs géométriques ; les marqueteries, grâce aux nouveaux procédés techniques qui confèrent de délicates nuances et demi-teintes à la couleur des bois, composent des décors raffinés de festons, drapés, fleurs, nœuds d'amour, rubans, zigzags, paysages et trophées, placés sur les faces et les côtés des commodes, des petites tables, des encoignures. Le meuble laqué est particulièrement répandu, décoré de scènes peintes, souvent d'origine ou d'imitation chinoises. Après 1730, grâce au procédé dit « vernis Martin », du nom d'une famille d'artisans français, on obtient une laque tout à fait semblable à celle d'Orient, en superposant jusqu'à quarante couches de vernis, ce qui permet une production plus vaste de meubles laqués.

La passion pour l'Orient, notamment pour le monde oriental, turc, arabe, et particulièrement chinois et japonais, constitue une mode qui, au XVIIIe siècle, mais déjà

A gauche. Fauteuil. *Daté du milieu du XVIIIe siècle, il est essentiellement décoratif, d'où son nom de fauteuil « à la reine ». Il est caractérisé par un dossier plat et haut, et par un décor sculpté de façon asymétrique.*

En bas. Commode. *Œuvre de J. Demoulin, elle est pourvue de deux tiroirs, avec une face décorée de laque d'Orient et d'appliques en bronze doré.*

au XVIIe et plus tard au XIXe, gagne de nombreux pays d'Europe : un phénomène très particulier, une sorte de style dans les styles.

De nouveaux modèles

L'époque Louis XV, grâce notamment à l'influence de la marquise de Pompadour, coïncide avec l'amour des belles choses, le goût pour les collections, la recherche du confort et la découverte de l'intimité. L'abandon des grands intérieurs XVIIe – suivant l'exemple du souverain lui-même, qui avait aménagé dans son palais de Versailles toute une suite de petits appartements confortables – suscite des besoins nouveaux de meubles pour des intérieurs différents : cabinet pour exposer les collections, salon de musique, bibliothèque composée d'étagères encastrées dans les boiseries, salle à manger et salle de bains en plus de la garde-robe et de la chambre à coucher. On assiste alors au triomphe de l'ébénisterie, qui produit

CHARLES CRESSENT
(1685-1768)
Ébéniste et sculpteur – double activité qui lui vaut trois procès avec les fondeurs-ciseleurs –, il est l'auteur de meubles dont aucun n'est estampillé, et d'éblouissants décors de bronze doré d'une richesse et d'une originalité très grandes. Certaines de ses commodes sont presque entièrement recouvertes d'applications, chefs-d'œuvre d'invention, qui ressortent sur la teinte chaude du bois : jeunes femmes en ronde bosse tenant des cornes d'abondance, poignées de tiroirs en forme de dragons, enfants jouant avec un singe...

ANTOINE GAUDREAU
(1680-1751)
Le plus grand ébéniste de cour du second quart du XVIIIe siècle. On ne connaît de lui que peu de pièces d'attribution certaine : notamment certains bureaux et commodes d'exécution raffinée, décorés d'applications en bronze doré, importantes mais sans excès.

JEAN-FRANÇOIS OEBEN
(1720-1763)
Inventeur des meubles à combinaisons (meubles à secrets et à surprises), c'est une figure de premier plan de l'ébénisterie française de la seconde moitié du XVIIIe siècle. Protégé par la marquise de Pompadour, il travaille à la cour dès 1754, mais ne signera ses pièces qu'à partir de 1761. Il est célèbre pour sa marqueterie, qu'il a portée à la perfection dans la juxtaposition des bois et le raffinement du dessin.

PIETRO PIFFETTI
(1700-1777)
Incontestablement le plus grand ébéniste piémontais et l'un des principaux d'Europe en dehors de France. Doté d'une excellente technique et d'un goût heureux, il est l'auteur d'innombrables meubles, dont beaucoup pour la cour de Turin. Son style exubérant juxtapose des marqueteries de fleurs, coquilles, volutes et dorures et des applications de bronze en abondance.

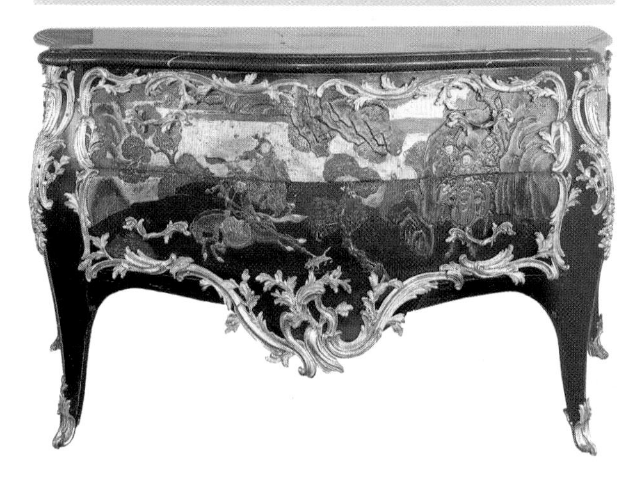

des meubles en abondance en renouvelant radicalement les modèles préexistants. Les tables, en se spécialisant, se multiplient ; le bureau plat connaît un grand succès, ainsi que le secrétaire dans les versions « à abattant », avec panneau rabattable servant d'écritoire et découvrant des tiroirs et casiers, ou bien « à cylindre », avec le plan de fermeture courbe qui, en glissant, disparaît à l'intérieur du meuble. Apparaissent de petits meubles délicieusement féminins : le bonheur-du-jour, secrétaire de dame à vantaux et petits tiroirs, comportant souvent un endroit secret pour cacher la correspondance privée ; la coiffeuse munie de tirettes et de cases – pour ranger les produits de beauté – et d'un miroir fixe ou rabattable. Les sièges se divisent essentiellement en deux catégories : à côté des sièges « meublants » à dossier plat, dits aussi « à la reine » et uniquement décoratifs, les sièges courants, fauteuils en cabriolet, se font confortables, enveloppants, pour la vie quotidienne. D'innombrables modèles à utilisations diverses s'en inspirent : la chauffeuse (siège rembourré pour se chauffer près du feu), la bergère (fauteuil à joues pleines dont le fond est garni d'un coussin), la voyeuse (chaise de jeu utilisée surtout par les joueurs de cartes), la marquise, appelée aussi confident ou bien encore tête-à-tête (sorte de bergère à deux places).

Meuble vénitien à deux corps. *Exécuté dans la seconde moitié du XVIIIe selon la technique de la « laque pauvre », il se compose d'une commode à abattant et d'une partie supérieure vitrée.*

Bureau. *Exécuté par J.F. Oeben vers 1760, ce bureau à cylindre est essentiellement destiné aux dames. Le style, à la charnière du Louis XV et du Louis XVI, allie des solutions formelles et décoratives tout à fait typiques de la phase de transition.*

◆ Chaise longue. Chaise de repos à siège allongé servant d'appui pour les jambes ; le type le plus répandu, à dossier arrondi et accotoirs bas rembourrés, est dit « duchesse ». Scindée en deux ou trois parties, c'est la « duchesse brisée » (*voir* figure), comportant éventuellement un tabouret médian ou encore un petit fauteuil, séparable.

◆ Commode. La grande beauté de la commode française du XVIIIe siècle tient à la part accordée à la plastique dans l'établissement de la structure, où le rythme des tiroirs se fond dans les courbes des montants latéraux et de la face bombée, si bien que les pieds ne supportent pas le corps du meuble, mais en font alors partie intégrante.

◆ Table. Il en existe d'innombrables modèles, de dimensions et d'usages variables ; la préférence va aux petits modèles aux lignes rococo légères et élancées, et donc plus maniables et faciles à déplacer. Apparaissent ainsi toute une série de tables que l'on peut déplier ou allonger et, plus nombreux encore, des spécimens spécialisés : tables de jeu (à surface pivotante et divisée en deux parties rabattables l'une sur l'autre), coiffeuses, travailleuses (à galerie et à casiers pour empêcher les objets de tomber), notamment tables à ouvrage, en

Table murale napolitaine. *Exécutée dans la seconde moitié du XVIIIe, cette table en bois sculpté brille des dernières lueurs, désormais alourdies, du Baroque tardif napolitain. Le détail montre la figure en terre cuite peinte au centre de la traverse.*

Le Rococo ou le Baroque tardif en Italie

Le XVIIIe siècle italien suit, bien qu'avec un certain retard, le grand élan venu de la France de Louis XV. Le Rococo, dit aussi Baroque tardif, s'épanouit dans diverses régions, avec des accents et résultats divers selon les traditions locales et les artistes-artisans alors en activité. Dans le Piémont, la proximité de la France suscite une production s'apparentant certainement davantage au style rocaille que dans d'autres régions, mais sans sacrifier au goût et à la mesure. La figure la plus marquante est incontestablement celle de Pietro Piffetti, dont les meubles, caractérisés par son exceptionnelle invention et par sa technique, sont reconnaissables à l'usage de la nacre et de l'écaille dans la marqueterie d'inspiration nettement napolitaine. C'est en Vénétie que l'on trouve

chiffonnière, de musique pourvues de pupitres escamotables, petits guéridons qu'on peut soulever d'une main, tables à café à dessus amovible...

◆ TABLE DE CHEVET. De présence discrète, elle a connu une évolution stylistique parallèle à celle des pièces plus importantes du mobilier. Reposant généralement sur un support élevé, elle comporte un tiroir et un espace clos par un vantail, ou ouvert. Le dessus est presque toujours en marbre. Assortie au reste du mobilier, elle offre parfois – comme dans certains exemplaires vénitiens – l'aspect d'une commode de proportions réduites ; elle est dorée et laquée, ses flancs sont bombés et son support en cabriole, reposant sur un pied

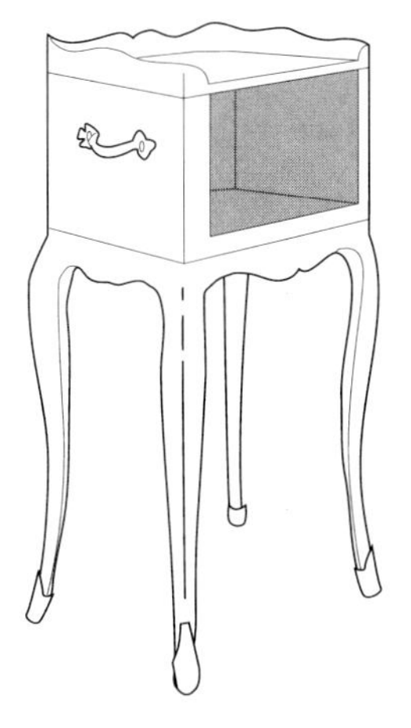

Bureau sicilien. *En bois laqué et décoré de beaux motifs polychromes, il se compose d'une partie supérieure en flèche à abattant et d'un corps à deux tiroirs. Les montants latéraux sont dorés et saillants, et les surfaces ornées de cadres dorés rocaille, à décor floral peint.*

peut-être la production la plus originale de tout le Rococo italien : s'y développe avec une sage élaboration du langage baroque un entremêlement raffiné de lignes courbes, de sculptures fantaisistes et légères, d'applications en verre de Murano, de décors peints de fleurs, figures et animaux, de laques d'inspiration chinoise, dont les *depentori* vénitiens (comme on appelait à Venise les décorateurs de meubles) sont les premiers et les incomparables imitateurs. De même, la typologie des meubles est vaste et originale, s'illustrant dans la production de chaises et fauteuils (dont le modèle à *pozzetto*, très connu), de commodes, de trumeaux et de lits.
En Lombardie, une certaine austérité d'origine espagnole s'allie à des influences austro-allemandes qui font préférer des meubles, généralement de bonne fabrication, en noyer avec des incrustations de bois plus sombre et un décor en marqueterie. A Gênes, également, l'influence est déterminante ; mais c'est le trumeau, toujours finement sculpté et de proportions élégantes, qui en constitue l'expression marquante. Très répandu, le meuble laqué est typique pour les fonds clairs et vifs et les décorations florales, mais nettement inférieur au modèle vénitien. Dans l'Italie centrale et méridionale, à Rome, à Naples et en Sicile, domine le goût français, avec des meubles marquetés, ornés d'appliques de bronze, où persistent des échos baroques, avec une tendance marquée pour le grandiose et la surcharge décorative.

---

simple, se termine parfois en boucle.

◆ Trumeau. Unique meuble de grande dimension du Rococo, le bureau-trumeau se compose d'un corps inférieur à tiroirs, sorte de commode, surmonté d'un pupitre rabattable découvrant une série de tiroirs et casiers, et d'une partie supérieure à vantaux, légèrement en retrait ; cette dernière, terminée par un riche couronnement et garnie intérieurement de rayonnages, est utilisée pour ranger verres ou livres ; les vantaux sont vitrés, mais souvent en bois ou sertis de panneaux de miroir. Les pieds sont courts et relativement massifs ; la partie supérieure et surtout le couronnement sont richement ornés ; les larges surfaces des tiroirs, de l'abattant, des vantaux sont décorées en marqueterie ou en placage, ou laquées ou peintes.

◆ Fauteuil. Il devient un meuble d'une grande élégance, de dimensions plus réduites, tandis que les parties galbées atteignent à la perfection de l'équilibre. La traverse disparaît souvent grâce à la robustesse de la structure et à la précision des assemblages ; les accotoirs raccourcissent et s'incurvent vers l'extérieur, les parties sculptées s'enrichissent encore. Très typique est le modèle dossier plat « à la reine » ; mais un fauteuil plus bas à joues pleines connaît aussi une grande diffusion : la bergère.

◆ Armoire. Elle n'a plus la même importance que l'armoire Louis XIV ; presque toujours œuvre de menuiserie, elle est reléguée aux pièces de service. Elle conserve son aspect massif, son fronton fermé par deux portes.

Bureau-trumeau. *Caractérisé par un couronnement brisé, ce meuble en placage de noyer offre un jeu intéressant de veinages et d'encadrements en palissandre. La partie supérieure est close de deux vantaux à miroir au profil galbé ; le corps inférieur se compose d'une commode surmontée d'un abattant.*

La corporation des ébénistes en France

L'estampille ayant été imposée aux maîtres artisans français par les statuts de 1743, il est donc possible aujourd'hui d'identifier avec certitude les auteurs d'une bonne partie du mobilier d'art de cette période. Pour être reçu maître, il faut appartenir à une corporation artisanale, être présenté par un membre inscrit et payer une coquette somme, mais surtout être expert en meubles. En dépit de ces difficultés, la maîtrise est très convoitée, car elle seule permet d'ouvrir son propre atelier et d'entrer en rapport avec le premier commanditaire de France : le roi et toute sa cour. Un fonctionnaire désigné à cet effet est préposé au contrôle des artisans agréés et il a pour charge de veiller à la qualité de leur production. Il existe également les peintres-doreurs, les tapissiers et les bronziers ; en principe, un menuisier ne peut pas être sculpteur ; une distinction très nette s'opère entre le travail de l'ébéniste, spécialisé en marqueterie et placage, et celui du menuisier, lequel travaille le bois massif. Bien que violemment critiquées, les corporations subsistent jusqu'en 1776 ; elles reprendront pourtant à la Révolution, avant d'être supprimées définitivement en 1791.

CHIPPENDALE
(seconde moitié du XVIIIe siècle)

◆ La vogue des chinoiseries dans toute l'Europe trouve, dans toute l'Angleterre du XVIIIe siècle, un grand interprète : Thomas Chippendale. Avec la parution, en 1754, de son recueil de dessins de meubles intitulé *The Gentleman and Cabinet-Maker's Director (Guide du connaisseur et du décorateur)*, il réussit à imposer sa version personnelle du goût d'inspiration orientale en le combinant avec des éléments néo-gothiques, formes dérivées du Rococo français et du Néo-Classicisme alors naissant. Le style de Chippendale s'affirme de 1760 à 1790, grâce à son électisme particulier qui lui permet de satisfaire les exigences et les goûts les plus divers, de la noblesse à la bourgeoisie. Les meubles Chippendale – bureaux, sièges, miroirs, petites tables ou bien lits – sont reconnaissables à la présence de larges parties sculptées, comme dans les

dossiers des sièges, où reviennent constamment des motifs tels que le décor à entrelacs chinois, la flèche gothique et la lyre néo-classique. Les sculptures sont favorisées par l'usage d'un bois dur et compact comme l'acajou, qui permet d'alléger les structures et d'assouplir les formes. Le choix et l'usage des éléments d'origine chinoise sont souvent arbitraires ; ainsi, les lits à baldaquin couronnés de toits en pagode et les cabinets coiffés de petits

Page ci-contre, en haut. Lit. *Dessiné par Thomas Chippendale vers 1754, ce lit à baldaquin de style chinois, laqué de noir et rouge et orné de parties dorées, est caractéristique du style de son auteur.*

Page ci-contre, en bas. Dessins de chaises. *Deux dossiers ajourés à motifs entrelacés « à rubans » (extraits du* Director *de Chippendale).*

Ci-dessous. Petite vitrine. *Petit meuble en acajou, à décor de bronze doré. Exemple de Chippendale « chinois » avec un couronnement en pagode caractéristique, qui lui confère un aspect curieux.*

temples n'ont pas grand rapport avec les authentiques meubles chinois. Se répandent les colonnettes sculptées imitant le bambou, les laques d'un rouge ancien et vert pâle, les contrastes chromatiques noir et or, les décors végétaux peints ou en relief, ou encore à petits animaux sculptés, spécialement des oiseaux, ornant les angles et les parties terminales des meubles. Dans les meubles d'inspiration chinoise, les structures revêtent un intérêt particulier : elles s'affinent, permettent une verticalité évidente et un rapport plus rigoureux entre pleins et vides. De même, dans les meubles où prévaut l'inspiration néo-gothique, rococo ou néo-classique, comportant des composantes de l'un ou l'autre style souvent entremêlées, les éléments décoratifs sont très allégés, se développant avec grâce en entrelacs de rubans, guirlandes, festons, grillages à losanges, enchevêtrements d'arcs brisés, têtes de lions, motifs d'urnes et de grappes de baies.

Un style fait de nombreux styles

Thomas Chippendale, bien que possédant un atelier d'ébénisterie, la Chippendale & Haig, ne doit pas sa renommée à sa production de meubles, difficiles à identifier en raison de la foule de ses imitateurs, mais plutôt à la publication de son catalogue de modèles pour l'ameublement : *The Gentleman and Cabinet-Maker's Director*, maintes fois mis à jour et réédité. Plutôt qu'à des meubles véritablement originaux, le style Chippendale correspond généralement à des schémas que l'on peut remarquer sur les dessins illustrés dans le *Director*. Sur le marché des antiquaires, les meubles contemporains des authentiques Chippendale sont dits d'époque, tandis que l'œuvre originale de l'artiste (aujourd'hui quasi impossible à reconnaître avec certitude) est dite de Chippendale.

Hepplewhite et Sheraton : des ébénistes aux stylistes

Contrairement à la France, où les plus grands ébénistes dominent la scène grâce à leur production d'une exceptionnelle qualité, dans l'Angleterre de la seconde moitié du XVIIIe siècle, les

Ci-dessous. Bibliothèque. *Ce meuble en cerisier, avec des filets d'acajou en application, réalisé d'après les dessins de Hepplewhite, présente une structure très nette, avec un décrochement du corps central.*

grands noms du mobilier expriment le meilleur de leur talent davantage dans des ouvrages théoriques qu'en pratique. D'où l'amorce d'un long processus d'évolution qui verra le concepteur-exécutant d'autrefois devenir un véritable styliste. Le style de George Hepplewhite, synonyme de la grâce naturelle, est reconnaissable à l'emploi de bois satinés et à l'adoption du dossier-écusson (en écu) pour les sièges, dont les pieds, généralement droits, sont de section arrondie ou carrée. Les décors les plus typiques de Hepplewhite sont les trois plumes et les épis de blé sculptés dans les bandes centrales des dossiers des chaises, qui trahissent, comme les profils courbes ou en serpentine de ses commodes, une inspiration encore rococo. Dans son *Cabinet-Maker and Upholsterer's Guide (Guide de l'ébéniste et du tapissier)*

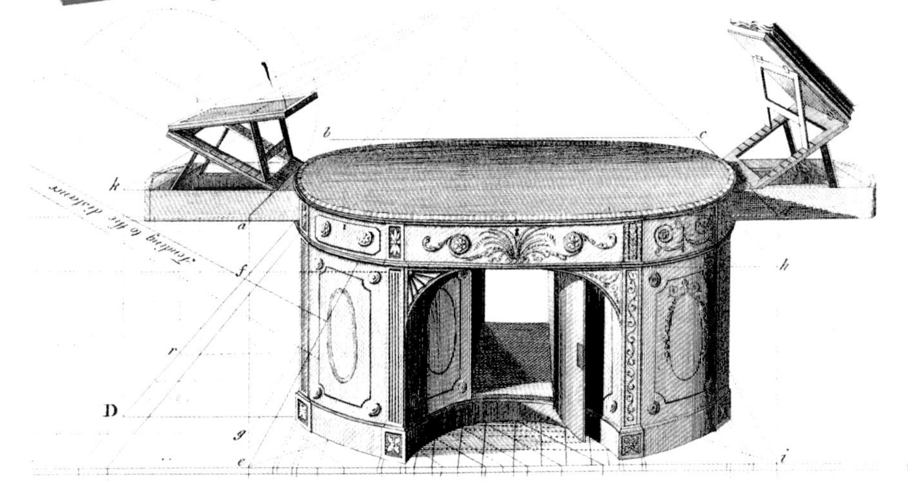

En bas. Dessin de table de bibliothèque. *Dessinée par Sheraton, cette table comporte des éléments qui, extraits des tiroirs, font fonction de pupitres.*

Dessin de table de bibliothèque. *Cette table avec sa petite échelle, au sommet de laquelle est placé un pupitre, témoigne de l'intérêt de Sheraton pour les mécanismes et pour la fonctionnalité des meubles.*

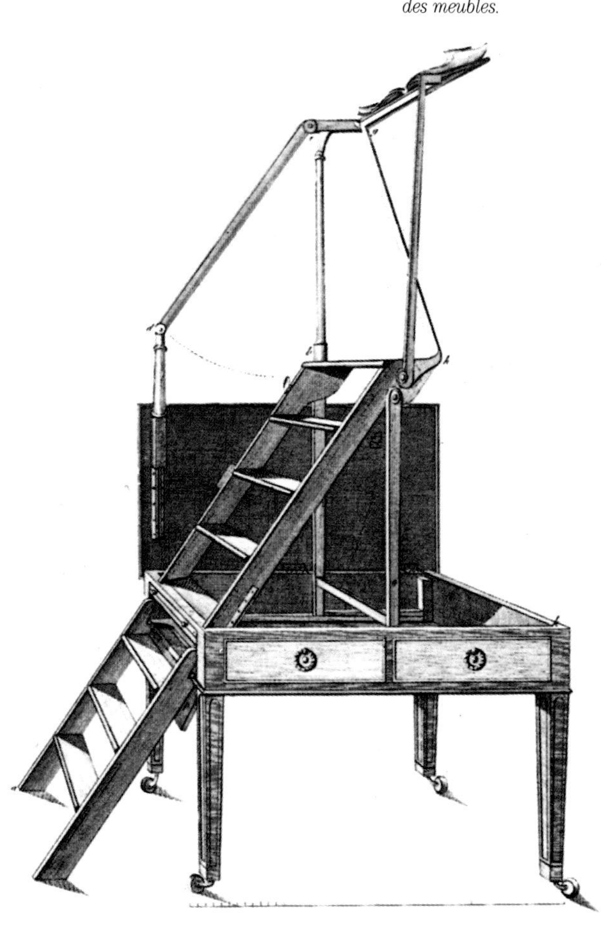

Le siècle de l'acajou

En Angleterre, jusqu'en 1720, le bois le plus couramment utilisé pour les meubles est le noyer originaire de France. Mais, cette année-là, les Français en interdisent l'exportation (parce qu'on l'emploie aussi dans la construction navale), et les ébénistes anglais doivent se rabattre d'abord sur le noyer plus foncé de Virginie, puis sur une variété de Saint-Domingue (Swietenia mahagoni). *Ce bois coûteux, sans veines apparentes, au grain très fin, est réfractaire aux piqûres de vers et se raye difficilement ; sa couleur naturelle permet de l'associer avec bonheur aux décors de bronze et d'argent et au bois doré ; de plus, sa compacité en facilite le polissage. L'acajou des Antilles (West Indies) constitue donc un bois qui se prête idéalement au style des meubles à l'honneur en Angleterre, caractérisés par une linéarité sèche et par une construction très robuste. Au cours de l'année 1750, on commence à importer de l'acajou d'Amérique centrale* (Swietenia macrophylla), *dit « acajou espagnol » ; mais ses splendides veinures en rendent l'usage très semblable à celui du noyer strié, et donc les meubles faits de ce bois sont incontestablement moins originaux que ceux qui sont traités en acajou des Indes occidentales.*

◆ Library Bookcase. Bibliothèque-vitrine ; sa structure dérive du bureau à deux corps, mais elle s'en distingue par les proportions des éléments. La partie inférieure, qui peut être ouverte ou close par des vantaux, sert à contenir les volumes de grand format. Le corps supérieur comporte trois panneaux verticaux vitrés ; celui du milieu, plus large, est couronné par un tympan.

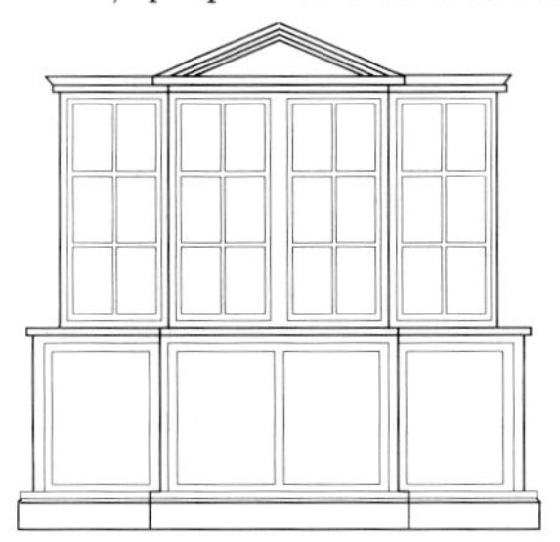

◆ Gate-leg Table. Meuble de jeu mis à l'honneur grâce à la vogue de l'acajou. Auparavant, les articulations complexes caractéristiques de ces tables se heurtaient à la nature du noyer, facilement déformable.

◆ Carlton Writing. Élégant bureau composé d'un dessus en

THOMAS CHIPPENDALE
(1718-1779)
Né à Otley, dans le Yorkshire, et fils d'un menuisier, Thomas Chippendale est incontestablement le plus célèbre ébéniste anglais de tous les temps. Établi à Londres, il témoigne bientôt de son remarquable talent artistique, produisant des meubles qui connaissent un succès immédiat. Chippendale n'est pas seulement un artiste, mais également un commerçant et un fournisseur de meubles, et aussi de papiers muraux, tissus, tapis, stucs, etc. Sa renommée et sa fortune ne se démentiront pas pendant près de trente ans, et cela grâce notamment à son remarquable éclectisme.

GEORGE HEPPLEWHITE
(?-1786)
On est fort peu renseigné sur Hepplewhite, qui, reconnu après sa mort comme l'un des plus grands créateurs de son temps, reste toute sa vie un obscur ébéniste. Il travaille à Londres de 1760 à sa mort ; deux ans plus tard, sa veuve publie son livre posthume : The Cabinet-Maker and Upholsterer's Guide. *Cet ouvrage, qui le rend célèbre, connaîtra un tel succès qu'il sera réédité en 1789 puis en 1794, cette fois avec des dessins inédits.*

THOMAS SHERATON
(1751-1806)
Né à Stockton-on-Tees, dans le comté de Durham, il apprend le métier d'ébéniste dans l'atelier de son père. Il se consacre ensuite entièrement au dessin, puis, établi à Londres, entreprend en 1791 la publication feuilleton de l'un de ses plus fameux et de ses plus importants livres de dessins de meubles : The Cabinet-Maker and Upholsterer's Drawing Book (L'album de l'ébéniste et du tapissier). *Les dessins de ses meilleures œuvres sont contenus dans ce recueil. Une crise de folie met fin à son activité.*

sont proposés des meubles laqués, sculptés et peints ; la marqueterie, largement utilisée aussi, est exécutée avec du palissandre, de l'acajou ou du bois soyeux, flanqués de bois d'importation récente comme le thuya et l'amboine. Thomas Sheraton recherche des solutions permettant une production plus rationnelle de meubles. Aussi les décors, si répandus à la fin du XVIIIe, deviennent-ils pour Sheraton un ajout par rapport aux formes, qui doivent être simples et sévères, visant toujours à mettre en valeur la structure et la fonctionnalité du meuble. De minuscules décors aux motifs géométriques compliqués sont peints ou encore marquetés d'essences de bois diversement colorées, les dessins prenant parfois l'aspect d'arabesques ou de panneaux figurés. Vers la fin du siècle, il subit de plus en plus l'influence du Néo-Classicisme préconisé par Robert Adam. A signaler,

forme de D ; la partie courbe est entourée par un plateau garni de tiroirs et casiers, qui se terminent latéralement en gradins. La surface pour écrire est très souvent recouverte de cuir. L'invention de ce bureau est attribuée à Thomas Sheraton.

◆ TALLBOY OU CHEST-ON-CHEST. Meuble typiquement anglais, composé de deux commodes superposées réunies ou posées l'une sur l'autre. La partie supérieure, légèrement plus petite, comporte trois grands tiroirs et un rang de deux ou trois tiroirs plus petits. La commode inférieure est à trois tiroirs de dimensions variables. Unique meuble mural de la chambre, le *tallboy* est traité en noyer et décoré selon la technique du *veneering*.

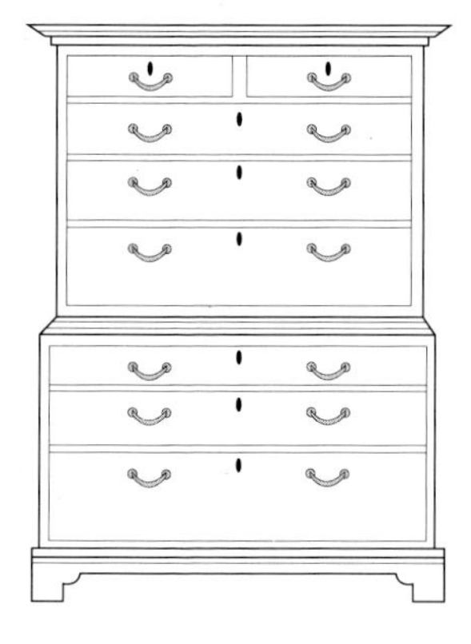

Table murale. *De style néo-classique, cette table témoigne de la maîtrise de Chippendale à s'exprimer dans les divers styles à la mode. Exécutée d'après les principes de Stuart et d'Adam, elle trahit une certaine lourdeur dans les pieds en balustre. Le détail montre le masque de démon au centre de la traverse ornée de festons.*

parmi les innovations de Sheraton : l'introduction de tables à piédestal pour la salle à manger et la bibliothèque, l'usage de l'osier et le compartimentage intérieur particulièrement compliqué des meubles d'aspect simple et traditionnel.

◆ LIBRARY TABLE. Bureau typiquement anglais à large dessus, laissant sur toute la profondeur du meuble un espace libre entre les deux blocs de tiroirs. On en connaît de nombreuses variantes, dites *Chippendale library tables*, dont un modèle semblable est illustré dans le *Director* de Thomas Chippendale.

◆ DRESSING TABLE. Petite table de toilette fabriquée en deux versions : l'une qui ressemble à un bureau, l'autre à une petite armoire entièrement fermée. La *dressing table* est l'unique meuble, avec le *tallboy*, à rester en noyer au moment où l'acajou fait fureur.

◆ FAUTEUILS ET CHAISES. Leur forme constitue la grande nouveauté de la seconde moitié du XVIIIe siècle, grâce à l'œuvre de Hepplewhite et de Sheraton. Les lignes fines et gracieuses caractérisent tous les modèles de l'époque ; les dossiers, ajourés, sont rectangulaires ou en écu, avec la partie terminale arrondie ou en pointe. Ils sont parfaitement reconnaissables à leur décor sculpté en ruban ou à treillis.

LA VOGUE DES CHINOISERIES
(XVIIe siècle-XIXe siècle)

◆ L'intérêt de l'Europe pour les manifestations de l'art oriental remonte aux tout débuts du XVIIe siècle, avec la création, par la Hollande et l'Angleterre, des comptoirs de la Compagnie des Indes, auxquelles s'associent bientôt la France et le Portugal. Le commerce porte sur de nombreux articles : meubles,

tissus, porcelaines, paravents, boîtes... Mais les plus recherchés sont les objets laqués, dont la qualité d'exécution et la splendeur des couleurs suscitent alors l'émerveillement. L'engouement pour les laques ne représente, par ailleurs, qu'une partie d'un phénomène bien plus vaste et bien plus complexe : la mode des chinoiseries, qui durera environ deux siècles et qui renaîtra dans la seconde moitié du XIXe siècle. Contrairement à d'autres manifestations du goût, comme le Rococo ou bien le Néo-Classicisme, les chinoiseries ne se définissent pas dans un style (sauf en Angleterre), puisqu'elles coexistent et se mêlent, parfois de façon stupéfiante, avec les styles dominants ; aussi parle-t-on tout simplement de mode. Les objets chinois ne sont pas seulement collectionnés ou insérés dans le mobilier, on les modifie ou on les démonte pour les utiliser en placage et donner une touche d'exotisme aux meubles de l'époque : cabinets, commodes, secrétaires, encoignures, bureaux, lits resplendissants de fleurs, d'arbres, d'oiseaux, de pagodes et figurines coiffées du typique chapeau chinois sur fond vert émeraude, bleu indigo, noir ou rouge. Chaque pays importateur donne une appellation différente aux laques, non pas selon leur origine, mais plutôt en leur attribuant le nom de l'endroit où elles ont été achetées : les Français l'appellent *Coromandel*, les Anglais *Bantam*, les Hollandais *Batavia*. Lorsque, en raison de l'énorme demande, la production commence à nettement baisser (le laquage réclame des temps de travail extrêmement longs), les ébénistes se mettent alors à produire des laques d'imitation, dites *japanning*.

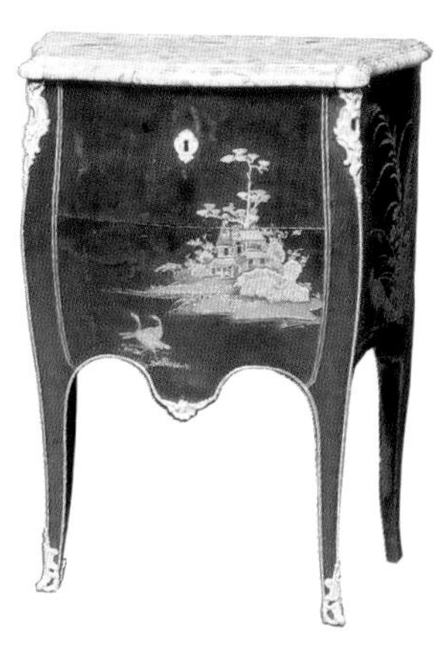

Page ci-contre, en haut. Table chinoise. *Carrée, avec des pieds ronds, inspirés du XVe siècle, elle est en laque noire incrustée de nacre. Le détail montre la décoration du plateau, qui figure un paysage.*

Page ci-contre, en bas. Commode. *Gracieuse petite commode en bois laqué, décorée d'un paysage sur la façade, ainsi que d'oiseaux et de buissons sur la courbure délicate des côtés.*

Ci-dessous. Clavecin. *Avec ce clavecin de 1710, Dagly fait la démonstration de sa maîtrise dans l'art de peindre et de laquer des motifs floraux et des figures d'inspiration chinoise.*

LES FRÈRES MARTIN
On doit à Guillaume Martin et à ses trois frères l'invention, au tout début du XVIIIe siècle, de la meilleure imitation de la laque d'Orient. Dans toute leur abondante production, le vernis Martin a été largement appliqué aux panneaux pour meubles et aux revêtements, à la décoration de carrosses, à toute une gamme de petits objets : éventails, boîtes, vases, tabatières...

B.V.R.B.
Cette estampille marque la splendide production de trois ébénistes français d'origine hollandaise : père, fils et petit-fils portant le nom de Bernard Van Risen Burgh. Les plus beaux meubles ont été réalisés par Bernard II, maître à partir de 1730 : commodes, secrétaires et autres pièces d'exécution très raffinée témoignant d'un soin tout particulier dans l'application de décors de bronze, ou de plaques de porcelaine et de laques et vernis brillants.

GERHARD DAGLY
(1650-1714)
Belge originaire de Spa, centre de production de la laque européenne ou japanning, *il est l'un des maîtres de cette technique à Berlin, où il œuvre longtemps. C'est à lui que revient tout le mérite d'avoir innové dans le laquage, enrichissant le schéma noir et or d'une plus vaste gamme chromatique : des fonds presque blancs et des figures éclatantes confèrent à la surface un aspect très semblable à celui de la porcelaine.*

Le plus connu d'entre eux est Gerhard Dagly, dont il faut rappeler le magnifique clavecin, exécuté en 1710 et décoré de figures, d'arbres et de fleurs sur un fond d'azur très clair. C'est l'un des maîtres de la technique du japanning.

Les chinoiseries anglaises

En Angleterre, les chinoiseries connaissant un extraordinaire succès, au point de devenir plus qu'une mode, grâce à la production de meubles dans lesquels l'exotisme ne se manifeste pas seulement par l'utilisation de laques et de décors ; à la différence des autres pays européens, une tentative est faite pour créer un véritable style intervenant sur la forme même du meuble. Naît ainsi un répertoire d'éléments indéniablement orientaux, qui s'ajoutent à l'usage des laques : la simplification des formes, l'accentuation des éléments verticaux et des vides sur les pleins, la cambrure des dossiers des sièges, le large usage du treillage chinois, à losanges ou à figurations plus complexes, les pieds droits ou légèrement arqués et les éléments porteurs sculptés en bambou.
Moins convaincantes, en revanche, sont les diverses reconstitutions qui se voudraient intégrales, comme l'extravagant lit en forme de pagode de Chippendale, et qui ne sont, en fait, rien d'autre que des inventions décoratives. Outre Thomas Chippendale, auquel on doit le Chippendale

A gauche. Chaise. *Sur cette chaise du début du XVIIIe siècle, des motifs orientaux se conjuguent à des éléments du style Queen Anne (forme du siège et des pieds).*

En bas. Paravent. *Composé de six panneaux en papier de riz figurant des scènes de la vie orientale, sur châssis en bois d'ébénisterie, ce paravent plein XVIIIe est d'origine piémontaise.*

« chinois », nombreux sont les ébénistes qui réalisent des chinoiseries. Et notamment William Ince et John Mayhew, auteurs d'un recueil de modèles au titre curieux : *Le Véritable Ami et compagnon de l'ébéniste et du fabricant de sièges, ou le système universel de la fabrication des sièges rendu simple et facile,* édité dans les années 1759-1763. Ince et Mayhew réalisent également des meubles dans les styles rococo et néo-gothique.

La France entre le Rococo et le Néo-Classicisme

La grâce, l'élégance et l'invention pleine de fantaisie sont indéniablement les traits communs qui favorisent la combinaison des chinoiseries et du Rococo européen, notamment français. C'est à Antoine Watteau et à ses peintures chinoises que l'on doit le premier répertoire de mandarins, temples, courtisanes, parasols et idoles qui figureront sur les meubles laqués du XVIIIe siècle ; lui succéderont les fameux singes de Jean Bérain et de Claude Audran. Les meubles peuvent être revêtus de la laque Coromandel, utilisée en panneaux précieux par application, ou peints avec le vernis Martin, imitation française des laques d'Orient ; mais, souvent, les deux procédés coexistent. La marqueterie est également en usage ; les applications de plaques de porcelaine sur les meubles sont assez rares, celles de bronze doré, en revanche, plus fréquentes,

Ci-dessous. Secrétaire. *Splendide secrétaire à abattant, exécuté vers 1783 par Riesener pour Marie-Antoinette ; les panneaux de laque japonaise figurent des paysages et motifs floraux.*

En bas. Fauteuil. *Exécuté vers 1760 par les ébénistes anglais Ince et Mayhew, en hêtre peint en blanc, le dossier présente un décor ajouré à motif géométrique de goût oriental.*

La laque

La laque est une résine végétale qui, mélangée à divers pigments (noir, rouge), est appliquée en minces couches sur un support de papier ou d'étoffe collé à la surface à décorer ; il peut y avoir jusqu'à trente, voire cent couches, chaque fois poncées avec soin. La dernière sert de fond au décor, qui peut être peint avec de la laque colorée, gravé ou sculpté ; ou bien on y applique des lamelles de nacre ou de feuilles d'or. En Europe, la vogue de la laque est telle que des meubles sont expédiés en Extrême-Orient pour y être laqués avant d'être renvoyés en Occident. En Hollande, une production de laque dite japanning *voit le jour : la matière première est importée, mais les techniques sont beaucoup plus hâtives et les résultats modestes. Les tentatives d'imitation se multiplient : la meilleure est celle des frères Martin qui, à partir d'un vernis à base de résine de copal, obtiennent une substance : le vernis Martin ; il est constitué de nombreuses couches superposées et mélangé à des couleurs ou de la poudre d'or, et donne un résultat semblable à celui de la laque. A Venise se répand la* lacca povera *(laque pauvre), soit l'application sur les meubles de dessins sur papier gravés en creux et colorés à la main, sur lesquels on passe plusieurs couches de sandaraque, brillante et transparente.*

avec des figures de dragons et des pagodes, comme sur la célèbre commode de 1714 de Charles Cressent (ébéniste favori du régent Philippe d'Orléans). Parmi les autres ébénistes qui produisent à l'époque de splendides chinoiseries s'illustrent le grand Bernard II Van Risen Burgh, Jean-François Leleu et Carel. Dans la période néo-classique, les décors se font plus simples et conformes aux modèles d'origine, les dragons sont remplacés dans les applications dorées par des décors moins apparents, tandis que l'on continue à préférer les laques d'Orient aux laques françaises : ainsi, dans le splendide secrétaire à abattant réalisé par Jean-Henri Riesener pour la reine Marie-

Armoire génoise. *Décorée de laques de Chine noir et or représentant des paysages, des figures et des motifs végétaux, elle est fermée par des portes ornées de panneaux galbés.*

Antoinette, dans lequel la laque noire du Japon est superbement rehaussée de nombreuses applications de guirlandes et d'encadrements rectilignes en bronze doré, avec, au centre de la bande supérieure, le monogramme de la souveraine.

Splendeurs vénitiennes

La diffusion des chinoiseries apparaît relativement homogène dans tous les centres d'Italie, mais c'est à Venise que sont créés les plus beaux meubles laqués dans un style incomparable, brillant et fantaisiste. Le XVIIIe siècle vénitien est en grande partie identifiable à la production de laques de qualité inférieure à celle des pays du nord de l'Europe, mais qui n'ont guère à envier aux productions anglaises ou françaises contemporaines. Au début, les sujets des décorations sont empruntés à l'iconographie traditionnelle : mandarins,

◆ COMMODE. L'un des meubles les plus répandus durant la mode des chinoiseries ; elle peut être avec ou sans vantaux. En France et en Angleterre (*voir* figure), les parties frontales et latérales sont généralement constituées par des panneaux revêtus de laque d'Orient, ou de laques d'imitation appelées *japanning.* Les décors de bronze doré tantôt reprennent les motifs orientaux, tantôt sont délicieusement rocaille ou néo-classiques. Les commodes vénitiennes *(cassettoni)* affectent souvent la forme bombée caractéristique ; elles ne comportent pas d'applications en bronze, et les décors sont souvent floraux.

◆ SIÈGES. Les modèles de goût chinois ont un aspect moins fastueux que les sièges courants ; ils peuvent être en laque rouge, verte ou noire, à décors floraux légers ou traités en bois naturel. Les dossiers sont droits, incurvés en S, ou à décor tressé.

animaux, arbres, fleurs, pagodes, sur des fonds éblouissants utilisant la plus large gamme de tons, du jaune ocre au rouge vif, du vert au noir ou aux rose et ivoire, plus délicats. Par la suite, l'improvisation prend le dessus, et, les motifs orientaux une fois abandonnés – sauf dans de très curieuses représentations satiriques –, se développe tout un éventail de fleurs, oiseaux, figures et paysages, d'une grande originalité, qui se conjuguent avec les formes concaves-convexes sensuelles des commodes, sièges, tables de chevet, trumeaux, bureaux. La « laque pauvre » *(lacca povera)* est largement utilisée par application, à la place de scènes peintes, de petites estampes colorées figurant un riche répertoire décoratif : fleurs, arbres, animaux, scènes de genre diverses et typiques figures chinoises sont alors très souvent représentés.

Armoire. *Dans cette petite armoire espagnole datée de la première moitié du XVIIIe siècle, la mode des chinoiseries se manifeste surtout dans le laquage rouge corail et dans le traitement des paysages figurés sur les vantaux, et qui évoquent ceux d'Orient.*

◆ Trumeau. Ce type de meuble à deux corps est composé d'un abattant et d'une partie supérieure surélevée, souvent complétée par une corniche. Le trumeau a vivement inspiré les *depentori* (peintres de meubles) vénitiens, qui l'ont réalisé en laque rouge, bleu ciel ou verte, à décors or ou blancs. Les vantaux supérieurs sont à miroir ou finement décorés. Les trumeaux anglais ont un aspect plus austère ; les chinoiseries se bornent souvent au décor simplement ajouré de la corniche et aux volets peints de la partie supérieure.

◆ Secrétaire. De façon générale, c'est un meuble important. Le type français peut être entièrement laqué, ou seulement les volets ; on a abandonné les appliques de bronze doré, tandis que la partie supérieure se termine par une plaque de marbre précieux ou par l'insertion d'un corps plus petit. Les secrétaires anglais sont moins voyants ; la partie inférieure peut être garnie de tiroirs au lieu de volets, et au-dessus de l'abattant est disposé un espace bibliothèque pourvu d'une grille chinoise à motifs géométriques, qui recouvre le fond et les côtés.

NÉO-CLASSIQUE et REGENCY
(seconde moitié du XVIIIe siècle et première moitié du XIXe)

◆ L'Angleterre, avec l'œuvre de William Kent, a tenté un retour partiel à la tradition classique ; dans la seconde moitié du XVIIIe siècle, elle trouve en Robert Adam son meilleur interprète d'un style néo-classique qui, pour la première fois, ne subit plus d'influences extérieures mais est authentiquement anglais. Les premiers meubles d'Adam, dessinés par Kedleston en 1759, restent des simplifications de modèles rococo, dans la variante néo-palladienne, à la manière de James Stuart et de William Chambers, le créateur, semble-t-il, du meuble anglais d'inspiration néo-classique. Après 1760, avec l'importation de France de mobilier néo-classique, le style se précise, devient plus léger et plus élégant, l'inspiration classique revêt la dimension d'un véritable langage mûr et personnel.

Les modèles de Robert Adam

Robert Adam dessine ses meubles avec précision et un grand luxe de détails : la pureté géométrique des formes – ses splendides commodes en demi-lune – s'allie à la délicate harmonie des décors marquetés et peints, de dérivation très nettement étrusque-romaine : guirlandes, festons, grecques, sphinx, griffons. Les marqueteries sont en bois de teintes délicates, comme le palissandre, le bois de rose et le peuplier clair sur

Ci-contre, en haut. Commode. *Exécutée pour Derby House d'après un dessin d'Adam, cette commode en demi-lune plaquée de sycomore, rehaussé d'applications en bronze doré, présente les traits distinctifs de son style : simplicité de structure, usage modéré des éléments décoratifs. Le détail montre la plaque centrale en bronze, ornée de deux griffons affrontés encadrant un profil féminin.*

En bas. Bureau. *Dessiné par Adam en 1770, il est réalisé en placage de palissandre et panneaux de bois de rose, marqueté et superbement rehaussé d'applications en bronze doré gravées au burin.*

Ci-dessous. Dossiers de sièges. *Dessinés par Sheraton, mais inspirés des motifs d'Adam, ils témoignent de l'esprit d'invention de ces artistes dans le dessin des dossiers, jugés la partie essentielle.*

un fond de sycomore satiné, rehaussé de minuscules applications de bronze doré. Le bois, notamment pour les chaises et les fauteuils, peut aussi être peint en blanc, avec des filetages d'or et un décor rouge dans le goût pompéien. Les dossiers, garnis ou ajourés en forme de vase ou de lyre, sont ovales ; les pieds sont gracieusement cannelés, à section ronde ou carrée. Adam a réinterprété de nombreux types de meubles : consoles, privilégiant la forme en demi-ovale, mais on rencontre également des modèles rectangulaires ; commodes, avec ou sans vantaux ; bibliothèques, désormais partie intégrante du décor mural, transformées en une structure encastrée dans le mur ; et aussi canapés, piédestaux, porte-chandeliers. On ne peut attribuer avec certitude à Adam les dessins de tous les meubles placés dans ses décors intérieurs ; une chose, cependant, est sûre : ils ont tous été exécutés sous sa direction. De nombreux artistes, dont Zucchi et Angelico Kauffmann, ont collaboré avec Adam, ainsi que des ébénistes : John Linnell, l'un des plus importants de l'époque, et même Thomas Chippendale, qui conçut le splendide ensemble mobilier pour Harewood House, dont l'exceptionnelle commode en demi-lune, magistrale et fabuleuse expression du Néo-Classicisme anglais.

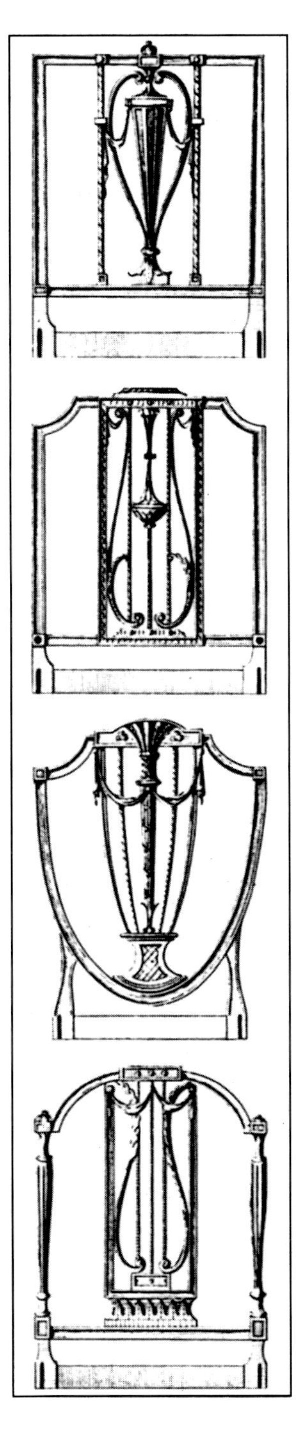

Cabinet. *Dessiné par Adam vers 1780, ce meuble élégant, décoré en marqueterie avec applications en bronze, présente une structure architecturale et des ornements inspirés du monde étrusque-romain.*

Le « revival » du Gothique

A partir de 1750 se développe dans de nombreux pays européens la réaction contre le goût fantasque et élégant du Rococo, alimentée par l'engouement croissant pour les antiquités grecques, romaines et étrusques. Ces civilisations deviennent ainsi l'objet d'études des premiers archéologues conduisant les fouilles à Herculanum, Pompéi et Tarquinies, et des voyageurs cultivés qui décrivent les ruines de Rome et d'Athènes. L'un des premiers à préconiser cette nouvelle sensibilité, Giovan Battista Piranèse, devient, grâce à la large diffusion de ses livres, une véritable source d'inspiration pour quasiment tous les artistes du premier Néo-Classicisme européen.

Le placage

Le bois de placage est une mince feuille découpée dans une essence précieuse pour recouvrir le bâti de bois du meuble. Cette technique du placage se rapproche de la marqueterie, mais celle-ci utilise plusieurs essences variées pour composer un décor ; une autre technique emploie des feuilles plus épaisses. L'usage de feuilles de placage, assez minces et flexibles pour être collées sur les surfaces courbes, permet d'obtenir des effets spéciaux résultant du contraste des veinages et des taches (technique du veneering*). Les formes les plus typiques sont l'arête de poisson (les veinures sont ici disposées en rangées diagonales alternées) et le placage à l'huître (des sections de branches plus petites sont associées à d'autres coupes concentriques irrégulières au veinage nettement plus accentué). Les bois exotiques offrent aux ébénistes un vaste choix de couleurs, de teintes, de dessins. Vient en tête l'acajou rougeâtre à veinures apparentes, ensuite l'olivier clair strié de vert-noir, le thuya rouge sombre bigarré de clair, l'*harewood*, c'est-à-dire le sycomore qui, oxydé, prend une teinte verdâtre, le* kingwood*, un palissandre rose-violet, le bois de rose, en réalité une gamme d'essences dans les tons rouge-violet, le* satinwood *jaune doré.*

Ci-dessous. Dessin de canapé. *Ce projet de Sheraton date de 1805, mais ses caractères sont déjà de style Regency : formes très nettes, application un tantinet froide des motifs classiques.*

En bas. Table. *Plaquée d'acajou et marquetée d'ébène et de feuilles d'argent, elle a été exécutée vers 1810 sur un dessin de Hope.*

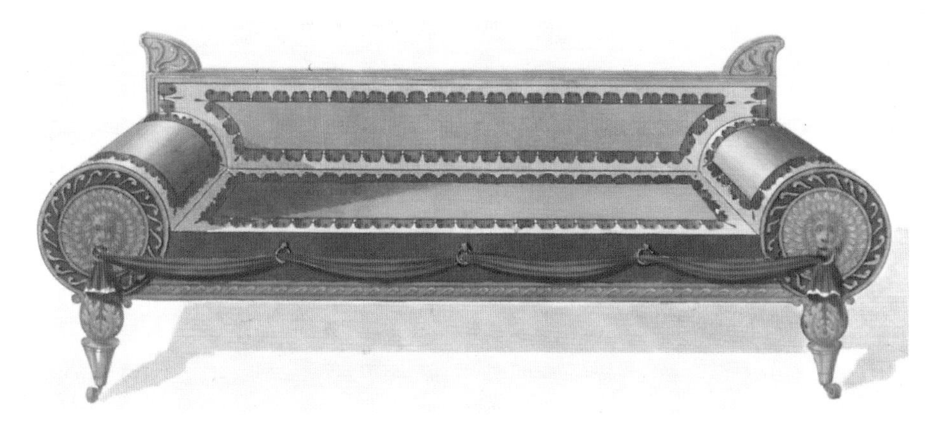

Mais le goût néo-classique n'est pas seul à s'opposer aux frivolités du Rococo. Le réveil périodique du goût anglais, mais aussi d'autres pays européens, pour le monde médiéval conduit, au début du XVIIIe siècle, à une renaissance du Gothique ; et elle se prolongera pendant tout le siècle et verra notamment, comme protagonistes ou simples partisans, des artistes réputés également pour leurs tendances diamétralement opposées, comme William Kent, Robert Adam et l'éclectique Chippendale. Les meubles étrusques ne se caractérisent pas par leur pureté stylistique, et il n'est pas rare de voir pinacles, motifs d'ogives et arcs en ogives se mêler avec désinvolture à des décors néo-classiques, des volutes rococo et des chinoiseries variées.

Le Regency

La régence de prince de Galles commence en 1811 et s'achève avec son accession au trône, en 1820, sous le nom de George IV. Mais le style qui emprunte son nom à cet événement, le Regency, se prolonge (comme c'est souvent le cas) bien au-delà, de la dernière décennie au couronnement de la reine Victoria (1837). Concomitant à l'évolution du Néo-Classicisme français vers les formes plus affirmées des styles Directoire, Empire et Restauration, le Regency, abandonnant l'équilibre et l'exquise élégance d'Adam, suit le goût antique dans un esprit plus philologique, reproduisant avec une froide et relative fidélité les éléments décoratifs des répertoires

Guéridon. *Réalisé sur un dessin de Hope, il présente une base triangulaire avec des supports thériomorphes (divinités revêtant des formes animales), d'inspiration nettement égyptienne.*

grec, romain et égyptien. Les meubles, qui peuvent être dorés, peints ou marquetés, s'efforcent de recréer les formes exactes des originaux grecs et romains. Déferlent les sièges à pieds sabre et dossier enveloppant, les tables avec support central et base

ROBERT ADAM
(1728-1792)
Il a inspiré un style de mobilier néo-classique qui porte son nom ; aussitôt répandu en Angleterre, il a gagné rapidement l'Europe et l'Amérique. En 1779, Adam publie son chef-d'œuvre : The Works in Architecture of Robert and James Adam.

JOHN LINNELL
(?-après 1796)
L'un des meilleurs ébénistes et dessinateurs de meubles anglais. Au cours d'une très longue carrière (du milieu jusqu'à la fin du XVIIIe siècle), il exécute avec talent et goût des meubles sculptés dans le style de Kent, avant d'être un interprète efficace du Néo-Classicisme d'Adam, pour lequel il réalise une grande partie du mobilier d'Osterley Park ; à la fin de sa carrière, il se rapproche du Regency.

THOMAS HOPE
(1769-1831)
Mécène riche et cultivé, il influence le goût anglais en dessinant ses propres meubles, inspirés de sa très vive passion pour l'archéologie. Ses résidences deviennent autant de manifestes pour la diffusion du nouveau style, inspiré de l'Antiquité grecque et égyptienne : la première est située à Londres, à Duchess Street, et conçue par Adam, l'autre est à la campagne, à Deepdene, dans le comté du Surrey.

JAMES STUART
(1713-1788)
Premier architecte, après un voyage d'études en Italie et en Grèce, à introduire dans ses projets les motifs classiques, notamment du monde romain. Il a le mérite d'avoir anticipé et en partie inspiré Adam lui-même ; mais ses meubles sont trop fidèles aux modèles classiques, et ils restent donc peu fonctionnels. En 1759, il dessine des meubles de nette inspiration classique destinés à la Painted Room, à Spencer House.

◆ UNION SUITE. Petit meuble de toilette composé d'une table à tiroirs, avec abattant et la possibilité d'une autre petite rallonge ; sur l'abattant est monté un miroir pour le maquillage. Caractéristique du mobilier anglais de la fin du XVIIIe siècle.

◆ LIT. Presque toujours à baldaquin, tapissé d'étoffes précieuses, dans le type *four poster*, flanqué aux angles de quatre pilastres (*voir* figure), ou dans le modèle à structure en fer dit *field bed*, ou lit de camp. Essentiellement tendu de sangles, il est complété

par des éléments en fer, entièrement démontables, supportant un baldaquin bas recouvert d'une tapisserie.

◆ BIBLIOTHÈQUE. Meuble mural haut, à vantaux vitrés ou ajourés, garni de rayonnages. La structure d'ensemble ne diffère guère de celle des autres meubles d'appui de destination différente. Les nombreuses bibliothèques réalisées et dessinées au cours de cette période se composent de deux éléments : un corps inférieur fermé par des vantaux et une partie supérieure ouverte.

Fauteuil. *Dessiné par Hope pour la « salle égyptienne » de sa maison de Duchess Street, il présente les caractères dominants du style égyptien, en combinant habilement des éléments empruntés à d'autres styles, comme les pieds postérieurs en sabre, d'origine romaine.*

triangulaire, les trépieds à supports sculptés en tête de lion et se terminant en une unique et gigantesque patte, les canapés et fauteuils de style égyptien ; les divers éléments de support, comme les pieds, bras ou encore dossiers, affectent parfois la forme de cariatides, d'Égyptiens accroupis et d'aigles impériaux.

Thomas Hope et le goût archéologique

Henry Holland, architecte et dessinateur de meubles, est l'un des premiers à proposer le style Regency, dont l'immense popularité est notamment due à la publication, par Thomas Sheraton, de nombre de ses modèles. C'est toutefois essentiellement à Thomas Hope, pourtant ni ébéniste ni architecte, que l'on doit la diffusion de ce style, grâce à son ouvrage *Household Furniture and Interior Decoration,* édité en 1807, et dans lequel est illustré

◆ OCCASIONAL TABLE. Ce terme désigne généralement une petite table facile à déplacer, parfois montée sur roues. Cette catégorie comprend les tables en série, trois ou plus, qui se glissent l'une sous l'autre (gigogne) ; les *sopha tables,* plutôt étroites et hautes, à petites allonges latérales. Un modèle semblable, la fameuse *pembroke table* (table à jeu), est à abattants sur charnières fixées aux extrémités.

◆ SIDEBOARD. Typique crédence anglaise, probablement conçue par Adam vers 1760. Portée par quatre ou six pieds en façade, la partie centrale dégagée entre les deux corps latéraux arrondis, elle comporte un large bandeau de support, contenant un tiroir central, des tiroirs ou vantaux latéraux ; elle sert à ranger le linge.

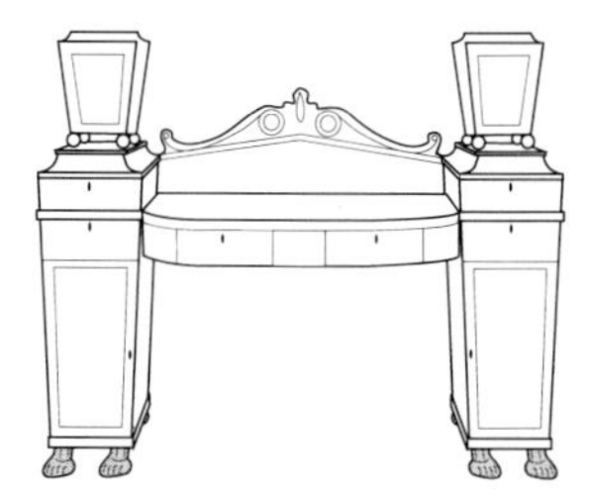

Table-toilette. *Meuble en acajou, marqueté d'ébène, inspiré des dessins du recueil de Smith, particulièrement répandu pendant le Regency. Les pieds sont très caractéristiques : à partir d'une double volute, ils se transforment en pattes de bélier.*

l'ensemble des meubles qu'il a fait exécuter pour sa maison de Duchess Street, à Londres : le goût pour l'archéologie s'y conjugue avec des effets décoratifs raffinés mais surabondants, associant des éléments grecs et chinois, etc. Cette reproposition intellectuelle et systématique des styles du passé se répandra rapidement, donnant lieu à d'ultérieures publications, comme celle de l'ébéniste George Smith, *A Collection of Designs for Household Furniture and Interior Decoration* : les éléments décoratifs s'alourdissent, tandis que se profile l'abandon progressif des idéaux classiques préfigurant la période victorienne suivante, moins inspirée.

◆ CONSOLE. L'intérêt porté par Robert Adam et les autres dessinateurs anglais aux meubles muraux fait de cette table, généralement travaillée uniquement sur les trois faces visibles, un élément du mobilier répandu et particulièrement soigné. Le plus souvent en demi-lune (mais il en existe de nombreux modèles rectangulaires), la console comporte un dessus plutôt étroit, porté par des pieds élevés (deux ou quatre) ; elle est généralement surmontée d'un miroir mural.

◆ COMMODE. En anglais *chest of drawers*, elle est garnie de tiroirs apparents ou masqués par des vantaux. Les pieds se prolongent jusqu'au plateau, moulurés en pilastres (*voir* figure), ou sont courts. Le décor, peint ou marqueté, s'inspire de l'iconographie gréco-romaine et égyptienne, comme les applications en bronze doré. Les formes les plus courantes sont rectangulaires ou en demi-lune ; le dessus peut être en marbre ou en bois sculpté.

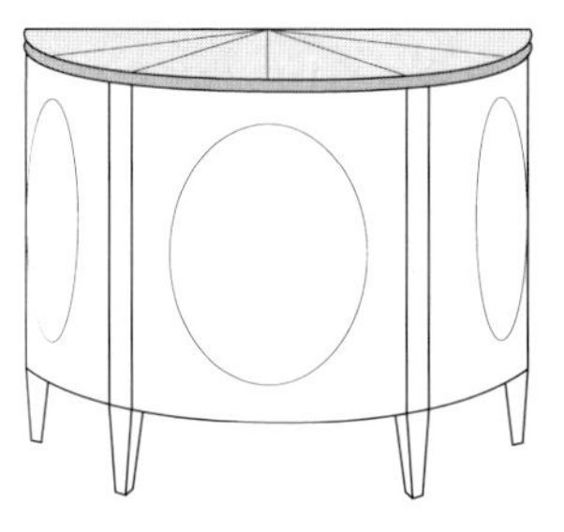

CARACTÉRISTIQUES DU NÉO-CLASSIQUE ET DU REGENCY

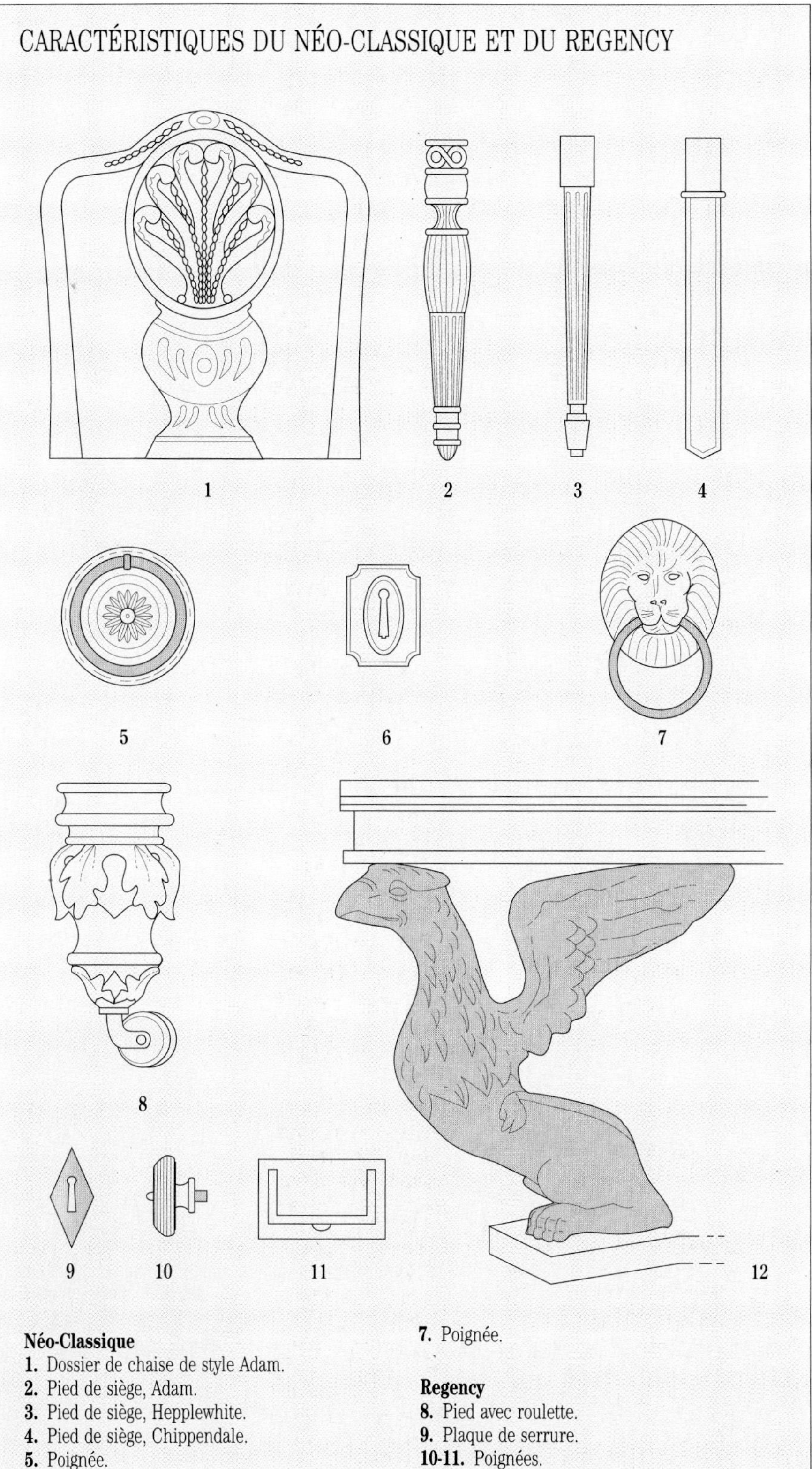

Néo-Classique
1. Dossier de chaise de style Adam.
2. Pied de siège, Adam.
3. Pied de siège, Hepplewhite.
4. Pied de siège, Chippendale.
5. Poignée.
6. Plaque de serrure.
7. Poignée.

Regency
8. Pied avec roulette.
9. Plaque de serrure.
10-11. Poignées.
12. Support de table zoomorphe.

LOUIS XVI

(deuxième moitié du XVIIIe siècle)

◆ Lorsque Louis XVI monte sur le trône, en 1774, le style auquel il donne son nom a déjà fait son apparition et aborde sa phase la plus brillante, avant de revêtir les formes moins fastueuses de la période révolutionnaire. Les ébénistes semblent, cependant, mettre un certain temps à se mettre au goût du jour, se bornant à freiner les excès décoratifs et associant de plus en plus souvent des motifs géométriques à des formes de style toujours Louis XV. Mais le nouveau goût tend à s'imposer, et la clientèle réclame des lignes nouvelles, sans pour autant renoncer au confort (conquête récente) des sièges plus ou moins enveloppants et bien rembourrés. Ainsi le menuisier Louis Delanois exécute-t-il en 1768 quatre fauteuils pour le comte d'Orsay, à pieds en gaine (droits) et dossier ovale, qui constitueront le modèle de base de tous les sièges de style Louis XVI. Delanois, surpassé par d'authentiques créateurs comme Georges Jacob ou Martin Carlin, ne parviendra cependant jamais à renouveler cet exploit et finira comme marchand de bois.

Page ci-contre, en haut. Commode. *Elle présente tous les caractères de la transition entre le Louis XV (pieds galbés et décor animé) et le Louis XVI (rigidité des lignes et encadrements géométriques).*

Page ci-contre, en bas. Chaise. *Due à Delanois, elle est en noyer sculpté et peint, typiquement Louis XVI ; elle se caractérise par son très élégant dossier « écusson » et ses pieds tournés et sculptés.*

Ci-dessous. Secrétaire. *Il comporte un dessus à abattant et un corps inférieur à vantaux. Exécuté par Topino, vers 1780, il présente des applications en bronze doré et des incrustations.*

Le goût néo-classique

C'est à partir de 1750 que se fait sentir en France la nécessité d'un changement de goût, et ce n'est pas un hasard si l'on considère l'engouement croissant pour l'archéologie et certaines grandes civilisations du passé – grecque, romaine, égyptienne et étrusque –, alimenté par de nombreuses publications de récits de voyageurs et par de multiples comptes rendus sur les fouilles. Pour certains, le Rocaille a fait son temps, le moment est venu de passer à autre chose. La première demande de meubles néo-classiques est celle du financier et amateur d'art Lalive de Jully, qui, en 1756, commande à l'architecte Barreau de Chefdeville un ensemble, un cabinet, meublé à la grecque : il reste de ce mobilier aux lignes géométriques, aujourd'hui disparu en grande partie, un bureau plat et un serre-papiers plaqués ébène et richement ornés de lourds décors réalisés en bronze doré et composés de grecques, de festons, de larges cannelures; de pattes et têtes de lions. Par la suite (au début de 1760), l'horloger Lepaute fait exécuter une caisse pour son horloge, dans laquelle les guirlandes en chêne se mêlent à des décors surmontés d'une pomme de pin ; ces meubles témoignent de la profonde influence d'André Charles Boulle sur les toutes premières manifestations néo-classiques.

Les éléments décoratifs

Les bronzes dorés, abondants mais pleins de grâce et de fantaisie, constituent le décor le plus typique de cette période. La précision des détails est digne de l'orfèvrerie la plus précieuse, tandis que les techniques raffinées de dorure permettent d'obtenir une large gamme de tons ; festons, rosaces, fleurs en rubans, masques, feuilles d'acanthe, branches en entrelacs, trophées militaires, chapiteaux ioniques resplendissent sur les façades et les angles des commodes, des horloges, des secrétaires et sur les pieds des tables et des consoles. Cependant, le décor ne se limite pas au bronze doré ; parallèlement à la marqueterie traditionnelle utilisée pour les compositions florales classiques, les groupes de figures ou encore les vues architecturales, les applications de plaques de porcelaine peinte figurant des paniers débordant de fleurs et ornés de rubans, connaissent une large diffusion, comme les figurations plus sévères enfermées dans des ovales dorés, avec des danseuses blanches et éthérées baignant dans un fond d'azur, et dans lesquelles l'influence du Néo-Classicisme anglais est manifeste. Ne manquent ni les pierres dures, comme celles qui ornent certains meubles de Martin Carlin et d'Adam Weisweiler, ni les laques selon les diktats de la mode persistante des chinoiseries. Dans les années qui suivent le couronnement de Louis XVI, les incrustations de fleurs se font plus rares, remplacées par des décors géométriques à losanges et carrés, suivant ainsi l'évolution de la forme des meubles. Ce goût plus sévère donne naissance à un type de meuble défini de « style étrusque », fruit d'un intérêt philologique et intellectuel auquel a certainement contribué le peintre Louis David, qui se fait faire des meubles d'acajou, qu'il utilise ensuite comme modèles pour ses tableaux historiques. Ce mélange de modes et la permanence d'une production encore liée au goût rocaille juxtaposée au Louis XVI plus net compliquent la datation des meubles de cette période, surtout lorsqu'elle repose sur les seuls critères stylistiques.

Cabinet. *Ce magnifique meuble de Weisweiler, marqueté et rehaussé d'applications en bronze doré, présente une façade marquée par un encadrement fastueux. La base repose sur des pieds « en toupie ».*

Le rôle des maîtres artisans

Parmi les ébénistes qui ont contribué essentiellement au renouvellement du goût, citons Jean-Henri Riesener, le continuateur, sur le plan de la créativité et de l'œuvre, du grand Oeben ; Georges Jacob qui réalise les plus beaux sièges Louis XVI ; Martin Carlin, célèbre pour ses meubles ornés de plaques de porcelaine de Sèvres ; Jean-François Leleu, l'un des rares grands ébénistes français de l'époque (dans l'ensemble des étrangers, contrairement aux menuisiers, qui sont français, notamment parisiens) ; David Roentgen qui, bien que né et actif en Allemagne, est nommé ébéniste du roi et affilié à la corporation des ébénistes parisiens grâce à la qualité de ses meubles et à leurs mécanismes complexes ; et aussi Étienne Levasseur et Charles Topino. Enfin, il ne faut pas oublier Jean Démosthène Dugourc, ornemaniste et dessinateur de meubles, auquel on reconnaît un rôle de premier plan dans la définition de la dernière période du Louis XVI, et, en particulier, dans la mode du « style étrusque ». On retrouve les mêmes types de meubles qu'à la période précédente, mais le goût pour les formes géométriques en redessine les

Fauteuil.
Le raccordement de l'accotoir au pied avant constitue l'unique élément courbe de ce fauteuil, tandis que l'ensemble est plutôt rigoureusement linéaire et géométrique. Les encadrements du siège et du dossier sont perlés, les pieds sont tournés et cannelés ; des éléments sculptés en pignon surmontent les dés de raccordement ornés de rosaces.

caractères. Les sièges ont un dossier ovale ou rectangulaire, les pieds sont presque toujours droits et cannelés verticalement, ou à spirales (dans le style « étrusque », les pieds postérieurs sont en sabre, à dossier très incliné), les accotoirs se raccordent au dossier par une courbe ou forment un angle droit. La hauteur des sièges, fauteuils et canapés fait l'objet d'une particulière attention, pouvant varier si le siège est rembourré (dans ce cas, il est plus haut) ou garni de coussins (plus bas) : ces derniers sont généralement destinés aux dames. Les lits, qui figurent parmi les meubles les plus importants de la maison, comportent des parties en bois peint, doré ou naturel ; parmi les décors apparaît souvent le pavot, qui fait allusion au sommeil. Le reste est amplement revêtu de tissus, les têtes de lits sont rembourrées, mais pas toujours, ne serait-ce que pour des raisons hygiéniques. Les essences favorites sont l'acajou, le bois d'amboine et le bois de rose, sur lesquels abondent les bronzes d'applique. La commode est toujours très demandée pour son élégance et son confort. De même les secrétaires, qui semblent dans certaines versions une variante des cabinets XVIIIe auxquels on aurait ajouté un abattant, représentent des pièces importantes, réalisées dans des matériaux précieux et richement décorés dans les modèles à cylindre, généralement placés au centre de la pièce, ou en armoire, adossés au mur. Les consoles, tout en restant des meubles d'applique, acquièrent une fonction de rangement, avec l'adjonction d'un ou de plusieurs plans fermés, souvent par des vitres. Enfin, le bureau plat, représentatif d'un statut social, apparaît dans les exemplaires plus précieux, très soigné dans les détails et fini dans le décor.

Le Néo-Classicisme en Italie

Même si c'est d'Italie – avec l'étude des antiquités étrusques et romaines, et les violentes réactions contre le Rococo qui se développent vers le milieu du XVIIIe grâce à Piranèse – que débute et se développe le Néo-Classicisme européen, ce n'est pas ce pays qui élabore le langage destiné à supplanter les extravagances du XVIIIe ; c'est en Angleterre et en France, en effet, qu'il

Le décor plaqué

On désigne généralement sous ce nom une application ornementale sur les meubles, en usage surtout à partir du XVIIIe siècle. Les matériaux peuvent être divers : du métal, par exemple le bronze (le plus employé) et l'argent, à la porcelaine et à la céramique, celles de Sèvres – en France – et celles de Wedgwood – en Angleterre – étant tout particulièrement appréciées. On rencontre aussi les formes et les dimensions les plus variées, de préférence ovales ou rectangulaires selon qu'elles sont destinées à des vantaux, tiroirs, pendules ou autres surfaces. Le sujet représenté se réfère naturellement aux thèmes qui sont particulièrement en vogue à cette période : classiques, naturalistes et floraux. Les figures, à plat ou en relief, sont généralement disposées dans un cadre : une bande ornementale à ruban, feuilles ou encore, beaucoup plus simplement, à perles. Pour ce qui est de la richesse des plaques de style baroque, les ébénistes – ce sont surtout les Français et les Anglais qui en font un élégant usage, mais en Italie, dans la zone génoise, il n'est pas très difficile non plus de trouver des meubles offrant ce décor – préfèrent les plaques plus sobres et plus conformes à la linéarité essentielle des meubles.

prend forme, respectivement avec la rigoureuse élégance d'Adam et la grâce captivante du Louis XVI. Tantôt avec médiocrité, tantôt avec une réussite extraordinaire, le meuble italien de la fin du XVIIIe siècle trahit une nette influence française, qui s'accentuera encore avec le style Empire suivant. Toutefois, en raison de la variété des expressions existant en Italie, il est plus juste de parler de Néo-Classicisme plutôt que de Louis XVI, à quelques exceptions près cependant. Dans le Piémont continue à se développer l'art de la sculpture sur bois, qui trouve en Giuseppe Maria Bonzanigo son meilleur interprète, comme en témoignent ses œuvres exécutées pour la Maison de Savoie. Et, parmi celles-ci, le monument militaire justement célèbre : il s'agit d'un meuble réalisé en 1780 pour conserver les portraits des souverains européens, dans lequel les décors en bois de poirier sculpté sont peints en blanc et appliqués sur des panneaux de laque azurée ; les autres parties sont également blanches, à frises dorées, la cimaise étant composée d'un trophée sur les côtés surmontés de trois urnes.

Bureau. *Exécuté vers 1785 par Roentgen pour être offert par Louis XVI à Catherine de Russie, ce bureau à cylindre est superbement marqueté de motifs géométriques et rehaussé d'applications en bronze doré. Sur le dessus court la typique galerie d'inspiration architecturale.*

Les marqueteries de Maggiolini

En Lombardie, l'esprit néo-classique s'incarne dans l'œuvre de Giuseppe

◆ COMMODE. Avec le passage à un décor inspiré des motifs classiques et l'abandon du goût rococo, les types se multiplient : commode à vantaux, à tiroirs masqués par des portes, à encoignures ou à coins arrondis, demi-commode (*voir* figure), petite et étroite, commode en console, haute et dont le tiroir supérieur forme une ceinture.

◆ BONHEUR-DU-JOUR. Petit meuble pour femme, composé d'une table avec un espace utilisable (tiroir, vantail ou plateau ouvert) sous la surface et surmonté d'un petit gradin fermé par des vantaux. Souvent ingénieuse dans la division des espaces intérieurs, c'est une pièce de luxe à décor et finitions toujours très soignés.

Commode lombarde.
Attribuée à l'atelier de Maggiolini, cette commode en marqueterie présente la structure rectangulaire typique, avec les pieds en forme de tronc de pyramide, la façade et les côtés richement décorés.

◆ BUREAU PLAT. Très répandu, il est pourvu d'un large plateau, généralement garni d'un marocain, sous lequel sont glissés des tiroirs. Les pieds, le plus souvent droits, sont cannelés et ornés d'applications en bronze, la ceinture est fréquemment marquetée. Assorti au bureau, un serre-papiers, meuble de rangement, soit autonome, soit posé sur le bureau lui-même. Le serre-papiers est muni de vantaux et surmonté d'une pendule.

◆ PETITES TABLES. Elles sont innombrables : la tricoteuse, table de travail à plusieurs compartiments, semblable à la table en chiffonnière (*voir* figure) ; le serviteur fidèle, table liseuse, à bras mobiles porte-chandeliers ; la table de service sans dessus, mais à plateaux qui s'enlèvent ; le vide-poches (*voir* figure) pour la chambre, avec un dessus où disposer les objets, fermé par une bordure élevée ; la toilette, au dessus s'ouvrant sur un miroir.

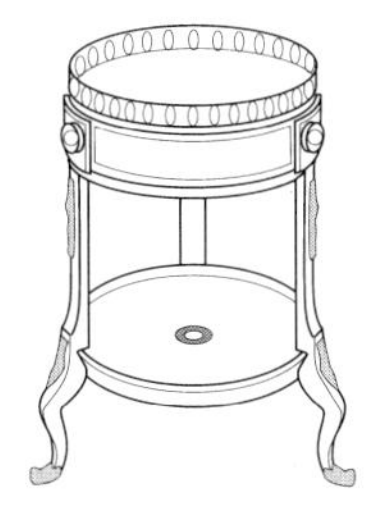

Commode. Estampillée par Maggiolini et datée de 1790, c'est un meuble à trois tiroirs, marqueté en palissandre et autres essences, décoré de motifs de festons, de volutes de fleurs et de cornes d'abondance. Au centre de la façade se trouve une corniche ronde qui circonscrit une tête néo-classique. Les pieds sont tournés et cannelés.

Maggiolini, l'un des plus grands marqueteurs européens de l'époque, qui réalise de splendides commodes, bureaux et tables. Ses marqueteries, d'une richesse inouïe, exécutées avec quatre-vingt-six types d'essences différentes, figurent des bouquets de fleurs, des trophées et des rosaces, des architectures et des scènes de genre, dessinés par les plus grands artistes

◆ CHAISES ET FAUTEUILS. Le siège le plus répandu est le fauteuil en cabriolet, léger et confortable, à dossier concave. Les fauteuils sont essentiellement de deux types : la bergère (*voir* figure), à joues pleines, et le fauteuil de cabinet, à dossier enveloppant. A côté des modèles décorés et peints apparaissent aussi des types en bois naturel, surtout en acajou.

◆ LIT. Presque toujours à dais et tentures abondantes, qui permettent de fermer l'ensemble ; le lit bateau, dont un côté est adossé au mur, est fréquent. La préférence va aux lits d'alcôve, le lit à la polonaise (*voir* figure) et le lit à la duchesse ; les deux modèles se distinguent par l'attache du dais, réuni au lit dans le premier cas, fixé au mur dans le second.

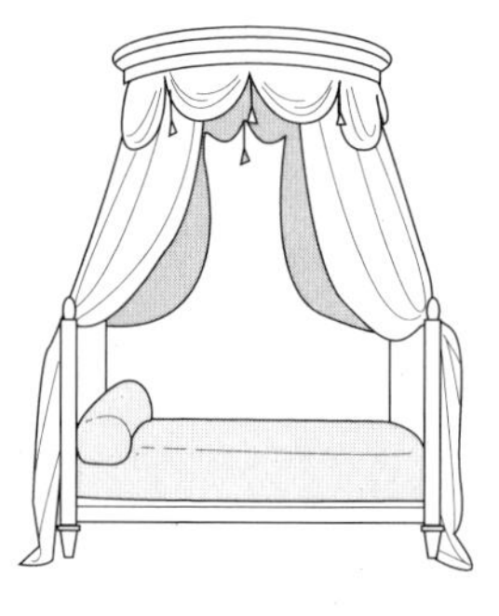

Fauteuil. *Œuvre de Bonzanigo, ce fauteuil sculpté et peint, exécuté en 1775 pour la Maison royale piémontaise, présente de curieux accotoirs en fourche et des pieds de forme composite.*

MARTIN CARLIN
(1730-v. 1785)
D'origine allemande, il se fixe à Paris où, devenu maître en 1766, il travaille pour les plus grands marchands de meubles de l'époque. Sa vaste production, très appréciée, est spécialisée dans les petits meubles à décor de laque, porcelaine, pierres dures et bronze.

GEORGES JACOB
(1739-1814)
Vers 1780, il est le plus grand fabricant de sièges de Paris. Fournisseur du roi, on lui doit la mise au point de la forme typique du siège Louis XVI et l'utilisation du bois naturel. En 1796, il doit laisser son atelier à ses fils, qui conserveront intacte la qualité de la production.

JEAN-HENRI RIESENER
(1734-1806)
C'est le plus grand ébéniste du Louis XVI ; fournisseur officiel de la cour, il produit pendant plus de quarante ans des meubles de tous types, d'une admirable facture, dans la forme comme dans le décor en marqueterie et bronze.

GIUSEPPE MAGGIOLINI
(1738-1814)
Né à Parabiago, c'est le plus célèbre marqueteur et aussi le plus efficace interprète du Néo-Classicisme italien ; il crée, d'après les dessins de certains des meilleurs artistes de l'époque, des meubles d'une exceptionnelle perfection d'exécution.

GIUSEPPE MARIA BONZANIGO
(1745-1820)
Piémontais d'Asti, il travaille beaucoup pour les résidences de la Maison de Savoie, comme décorateur et ébéniste. Sa version italienne du style Louis XVI, particulièrement raffinée, témoigne d'une exceptionnelle habileté dans la sculpture, et d'une finesse et d'une minutie comparables à l'ancienne technique de la « pastiglia ».

de l'époque. Les œuvres de Maggiolini se distinguent par la pureté des lignes et par la grâce des proportions. Dans les commodes, les pieds pyramidaux sont typiques, les applications de bronze rares. Le style de Maggiolini a suscité alors de nombreux imitateurs, et cette production très vaste est dite « à la manière de Maggiolini », pour la distinguer des œuvres originales, souvent

◆ Secrétaire. Le secrétaire à cylindre est un meuble imposant comportant une tablette à écrire, surmontée d'un corps supérieur qui ferme à l'aide d'un quart de cyclindre ou d'un rideau de bois, découvrant une série de casiers et de tiroirs. Meuble d'applique, en revanche, le secrétaire en armoire à abattant est plus haut et en forme de cabinet, avec un large dessus à abattant. Généralement, le secrétaire central est plus soigné que le meuble mural, car, étant placé dans un endroit éclairé, ses détails sont beaucoup plus visibles.

◆ Horloges et Pendules. Les meubles contenant les grandes pendules richement décorées sont l'œuvre d'ébénistes et de bronzeurs raffinés. C'est le cas des horloges de parquet, à longues caisses destinées à contenir et protéger les balanciers, ou des modèles de taille inférieure, réalisés aussi *en suite*, avec un haut piédestal et une console d'applique. La partie terminale des pendules est souvent constituée par une amphore ornementale qui, dans les petits exemplaires, toujours finement ciselés, peut servir de brûle-parfum.

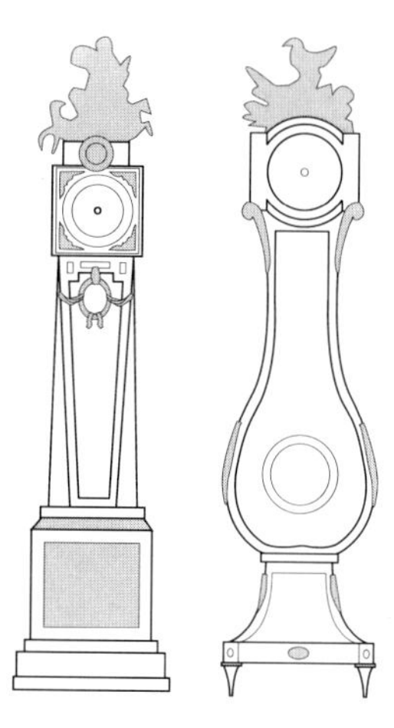

DIRECTOIRE

(fin du XVIIIe siècle et début du XIXe)

◆ Avec la victoire de la Révolution sur l'Ancien Régime, le style des meubles ne varie guère. Les tendances qui ont donné naissance au Louis XVI, l'abandon des lignes courbes et le retour à l'antique, poursuivent leur évolution en accentuant ces caractères, qui déboucheront sur le style Empire ; aussi peut-on considérer le Directoire comme une période typique de transition. Le style Directoire – qui englobe également les années de la Convention (1792-1795) et du Consulat (1799-1804) –, caractérisé par une élégance encore XVIIIe, dans la forme comme dans le décor, fait un usage de plus en plus abondant de motifs ornementaux tels que losanges et grecques, ou de simples filetages d'ébène, d'acier ou de cuivre. Le bronze est toujours appliqué, mais de manière beaucoup plus discrète et plus sobre ; les motifs de guirlandes, rubans volants, têtes de lions et palmettes, sont comme raréfiés dans la stylisation voulue du signe et la symétrie étudiée de leur disposition. Les motifs révolutionnaires trahissent les temps nouveaux : les faisceaux, le bonnet phrygien, les piques. Côtoyant les éléments traditionnels grecs, romains et étrusques du retour à l'antique, on voit apparaître, après l'expédition d'Égypte de Napoléon (1798), les motifs typiques et évocateurs de cette civilisation : sphinx, fleurs de lotus, têtes égyptiennes. Les meubles de forme exotique se multiplient, sièges curules et trépieds, tabourets et canapés à l'antique, tandis que les types restant plus traditionnels, tels que les commodes, les lits, les secrétaires et les tables, s'enrichissent de lions ailés, de bustes d'hercules, de pattes griffées, de sabots. Tous ces motifs se retrouveront, mais plus marqués, dans le style Empire.

Lit. *Réalisé en bronze bruni et doré, il présente les caractéristiques du style Directoire : élégance des formes et décors floraux accompagnant le motif du cygne.*

Les caractéristiques du Directoire

Les dossiers des sièges Directoire sont souvent en crosse, cambrés en S (ou parfois droits) et généralement à motifs ajourés en forme de balustre, de lyre, de grille, de palmette et de triangle. Le bois peut être naturel ou peint et rehaussé de filets d'ébène ou d'acier ; le bronze devient rare, le décor utilise fréquemment les motifs naturalistes : cariatides, animaux royaux ou bien mythologiques, pattes et têtes de lions qui, sculptés sur les pieds et accotoirs, remplissent une fonction de structure. Les pieds sont en sabre (à l'étrusque) ou en fuseau.

Ci-dessous. Buffet. *En, placage de noyer et racine de thuya, le dessus est en marbre vert ; le décor de bronze doré figure des lions et animaux fantastiques affrontés.*

En bas. Table. *Réalisée en acajou, le plateau circulaire reposant sur trois figures gainées, elle présente une base triangulaire et les pieds en oignon ; la ceinture est ornée de bronze doré.*

On rencontre le fauteuil en gondole, à dossier arrondi et enveloppant, ou en hémicycle, à dossier haut et concave ; ce dernier type, de forme plutôt massive, est revêtu de cuir et est alors essentiellement destiné au bureau et à la bibliothèque ; on trouve aussi le typique siège curule, aux pieds caractéristiques raccordés en X aux accotoirs. Les petites tables sont toujours répandues, notamment le guéridon, à plateau rond reposant sur un fût terminé par un pied tripode. Se multiplient les tables de salle à manger d'un ovale typique, à décor de bronze doré sur la ceinture et la base. La méridienne, aux formes antiques classiques, est particulièrement prisée, comme peut en témoigner notamment le très célèbre portrait de Mme Récamier réalisé par Louis David. Secrétaires et commodes présentent un décor de bronze qui est disposé symétriquement sur la façade, tandis que les angles sont souvent ornés de cariatides grecques ou égyptiennes ; les pieds sont presque toujours en griffes de lion. La table de toilette offre plusieurs variantes, dont, parmi les nouveautés, la poudreuse, particulièrement appréciée. Les nombreuses versions d'athénienne sont très à la mode : il s'agit d'une sorte de guéridon à trépied, qui sert de jardinière, de lavabo ou encore que l'on utilise comme brûle-parfum.

L'abolition des corporations

Même si, pendant la période Directoire, on retrouve dans l'ensemble les meilleurs artisans qui ont contribué à la grandeur du Louis XVI – Jacob, Riesener, Leleu, Weisweiler –, le mobilier

Commode-secrétaire. *Réalisée par Beneman pour Napoléon sur un dessin de Percier et de Fontaine, cette commode est décorée, comme beaucoup de meubles de l'époque, de motifs en bronze doré. Sur les côtés de l'abattant, les montants sont en forme de statues égyptiennes. Le détail montre l'un des lions en bronze doré.*

MARTIN-ÉLOY LIGNEREUX
(1750-1809)
Beau-père de Desmalter, il obtient une reconnaissance officielle dans plusieurs expositions. A la fois marchand de meubles et ébéniste, il signe parfois des pièces commandées à d'autres artisans, ce qui ne facilite pas l'attribution de ses œuvres.

ADAM WEISWEILER
(v. 1750-1810)
D'Allemagne il se rend à Paris, où il ouvre un atelier vers 1778 ; il travaille pour d'importants marchands, exécutant notamment de petits meubles de facture parfaite, ornés de laque, de bronze et de plaques de Sèvres.

BERNARD MOLITOR
(?-1833)
Comme d'autres ébénistes d'origine allemande, il se fixe en 1773 à Paris. Bureaux, secrétaires et tables constituent ses principales œuvres – pas toujours estampillées. Certains fauteuils sculptés en têtes de griffons sont d'une grande beauté.

JACOB FRÈRES
Sous ce nom, les deux fils de l'ébéniste Georges Jacob, Georges (1768-1803) et François-Honoré Georges, dit Jacob-Desmalter (1770-1841), poursuivent vers la fin du siècle l'œuvre paternelle, se spécialisant dans la production de chaises, fauteuils et autres meubles, aux formes et aux décors particulièrement fastueux.

◆ MÉRIDIENNE. Type de lit de repos qui peut avoir les chevets égaux (*voir* figure) ou de hauteurs différentes. Dans ce cas, le dossier qui les réunit, s'il y en a un, est incurvé de façon à masquer la dénivellation ; le côté plus bas est parfois rabattable pour rallonger le lit.

◆ CONSOLE. Plutôt longue et étroite, c'est une console d'applique qui peut être fixe, sans pieds arrière, ou portée par des pieds arrière droits et de devant très ouvragés, sculptés en forme de sphinx et autres figures mythologiques ou animales. Elle reste, également dans la version en demi-lune ou en demi-cercle, un meuble important, très fini dans les détails, rehaussé d'applications en bronze typiques de la période. Il existe une console détachée du mur, dont la forme – rectangulaire, ovale, ronde – est celle de deux consoles réunies.

Commode à vantaux. *Superbe œuvre des Frères Jacob, cette commode est réalisée en bois d'acajou et de citronnier, marquetée d'ivoire et d'essences variées. La ceinture supérieure est ornée d'une frise en bronze doré ; sur les trois panneaux en marqueterie, les veinures du fond sont exploitées à des fins ornementales.*

de la première période révolutionnaire ne brille pas par sa qualité (à de rares exceptions près), du fait de l'existence de difficultés réelles et de taille.
En 1791, les corporations sont supprimées, et l'ancienne distinction entre les métiers n'est plus aussi rigoureuse : ébénistes et menuisiers peuvent dessiner et également exécuter entièrement leurs meubles : décors sculptés ou réalisés en bronze, dorure et laque.
En l'absence de toutes contraintes, les ateliers d'artisans se multiplient, les anciens laboratoires étendent leurs activités. C'est le cas pour Georges Jacob, qui laisse son atelier – devenu alors une entreprise florissante – à ses fils, lesquels lui donneront le nom de « Jacob Frères ».
Pendant le Consulat, pour relancer l'économie, une exposition publique des produits de l'art français est organisée, et, à l'occasion de concours, des récompenses professionnelles sont alors distribuées ; les frères Jacob et Lignereux seront les premiers ébénistes à remporter le prix. C'est la période où débute l'activité de deux architectes appelés à devenir les plus importants artisans du style Empire : Percier et Fontaine, extraordinaires dessinateurs de meubles, mais également remarquables décorateurs. Leur importante contribution à la définition du style Directoire est marquée par la création de nombreux ensembles (dont le mobilier pour la salle de la Convention aux Tuileries et pour le

◆ Athénienne. Petit meuble de forme délicieusement classique, composé d'un trépied – en métal (bronze ou fer) ou en bois à décors appliqués – surmonté d'une urne. Créée en 1773, elle peut servir de lavabo, jardinière, brûle-parfum ou chandelier. Elle rentre dans la catégorie des objets de luxe et est toujours soignée.

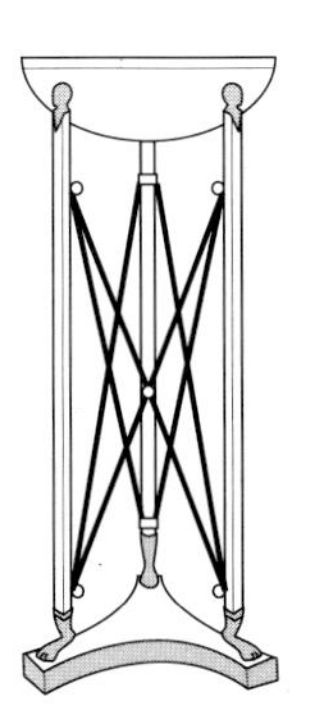

◆ Chaises et Fauteuils. Deux éléments distinguent les sièges de cette période : le dossier en crosse, avec une large courbe en S, à fond souvent en bois ajouré, et les pieds de devant généralement raccordés directement à l'accoudoir. On rencontre aussi le siège curule de forme antique (*voir* figure), dont le piètement et les supports d'accotoir dessinent deux X. Les fauteuils sont plutôt grands et ont des dossiers très enveloppants. La causeuse, innovation originale, est un siège pour deux personnes.

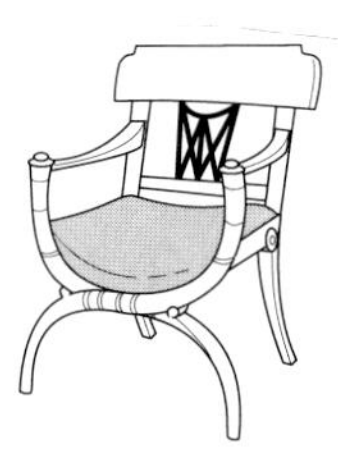

château de La Malmaison) et par la réalisation de meubles par les meilleurs artisans de l'époque, tels les frères Jacob, Lignereux, Beneman ; et ce, à compter de la parution en 1801 du *Recueil de décorations intérieures*, ouvrage fondamental plusieurs fois réédité dans le monde entier, indispensable pour les derniers développements du style Directoire et, notamment, du style Empire.

Commode. *De ligne très élégante, cette commode en acajou et en bois de citronnier est ornée d'applications en bronze et d'incrustations de cuivre.*

◆ POUDREUSE. Parmi les tables de toilette se détache cette petite coiffeuse, garnie d'un miroir sous le plan à abattant et d'un ou de plusieurs tiroirs. Elle est exécutée essentiellement en acajou, mais d'autres essences précieuses entrent également dans sa réalisation ; les parties intérieures sont habillées de tissu, souvent de la soie.

◆ LIT. Les modèles les plus intéressants sont le lit bateau, dont le profil évoque un bateau, qui connaît une grande vogue ; le lit à l'antique, à chevet unique ; le lit à la turque, à trois dossiers, adossé au mur dans le sens de la longueur, et dont les deux chevets se terminent par des éléments sculptés ou tournés ; le lit en chaire à prêcher, dont les deux chevets s'enroulent vers l'arrière. Le dais est très riche et élaboré – par exemple en coupole –, avec de larges drapés qui descendent aux deux extrémités du lit. Autre nouveauté : la disparition de l'alcôve, qui isolait le lit du reste de la chambre ; du coup, toute la pièce s'articule autour de ce meuble, qui en devient l'élément principal.

La décoration en bronze

Comme de nombreuses autres techniques, la fusion du bronze – alliage de cuivre et d'étain dans la proportion de 10 pour 1 – a des origines très anciennes, alternant au fil des ans des périodes de déclin et de grand succès. A la Renaissance, par exemple, et, dans une plus large mesure, au XVIIIe siècle et au tout début du XIXe, le bronze devient partie intégrante du meuble. Les bronzes sont coulés soit en moulages à cire perdue ou à trousseau, soit dans des moules en sable avec modèle ou décomposables, le coulage exigeant un travail de finition très délicat pour faire disparaître de chaque pièce toutes les aspérités et les imperfections. Poignées, pieds, angles, entrées de serrures, plaques ornementales, souvent dessinés par de grands artistes, s'insèrent ainsi parfaitement dans le meuble ; généralement, le contraste avec les chaudes teintes du bois est encore souligné par le bronze doré. L'or peut être appliqué en feuille, à froid, en poudre, à l'aide d'un bain chimique, mais les meilleurs résultats sont obtenus avec un dangereux amalgame d'or et de mercure, appliqué d'abord au bronze, puis mis au four pour éliminer le mercure. Cette opération, répétée plusieurs fois, laisse une pellicule d'or brillante et résistante.

CARACTÉRISTIQUES DU DIRECTOIRE

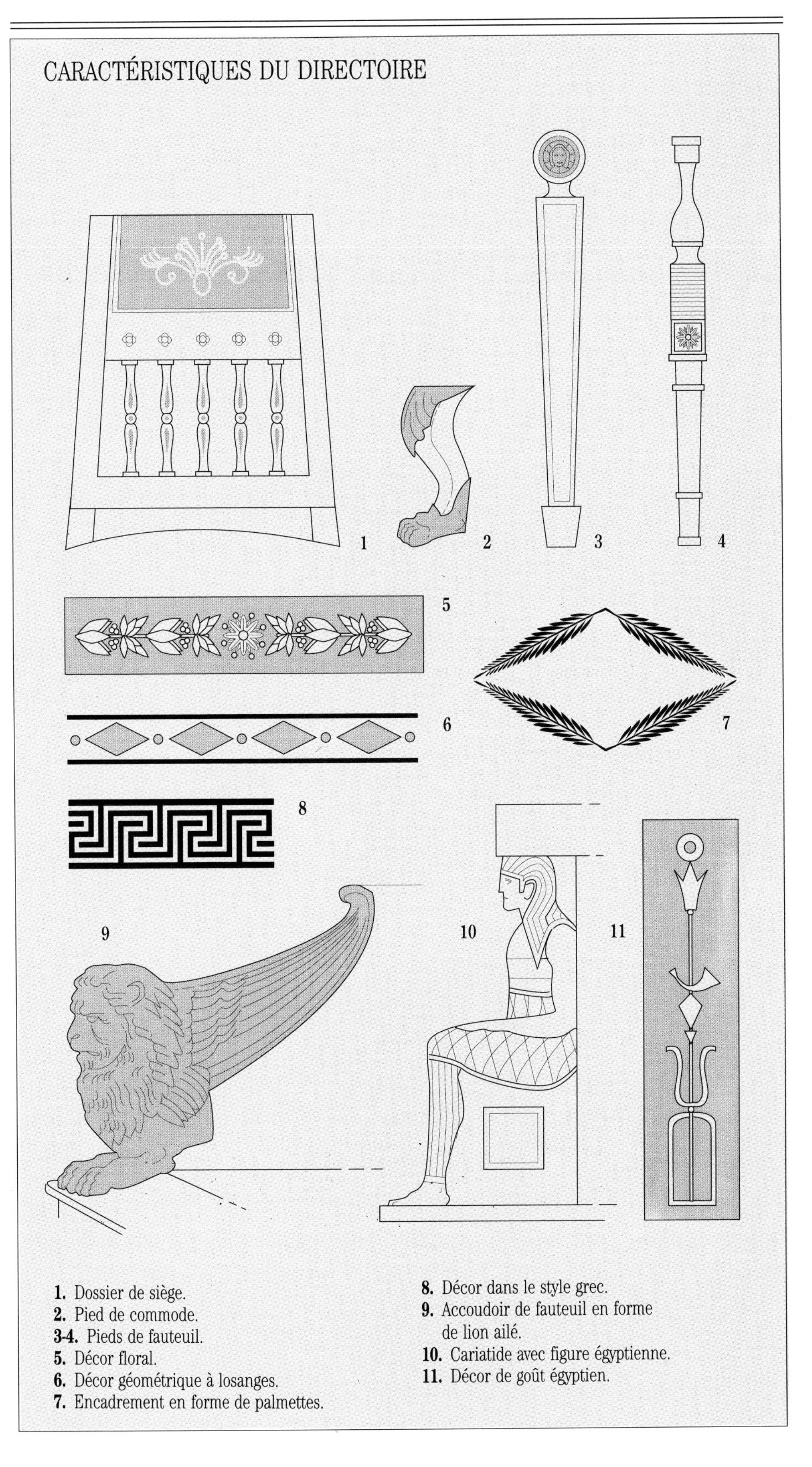

1. Dossier de siège.
2. Pied de commode.
3-4. Pieds de fauteuil.
5. Décor floral.
6. Décor géométrique à losanges.
7. Encadrement en forme de palmettes.
8. Décor dans le style grec.
9. Accoudoir de fauteuil en forme de lion ailé.
10. Cariatide avec figure égyptienne.
11. Décor de goût égyptien.

Intérieurs du XVIIIe siècle

Au XVIIIe siècle, l'architecte intervient de plus en plus dans la conception des intérieurs de maisons d'aristocrates et de riches bourgeois. Dans les demeures très importantes, les pièces de réception, toujours situées vers l'extérieur, sont nettement séparées des appartements privés, qui eux donnent vers l'intérieur. Avec le passage du Baroque au Rococo, le lit de parade disparaît ; le nombre des antichambres faisant office de salon et de salle à manger augmente. Les petits appartements se multiplient, les rideaux aux fenêtres et l'usage de tapis se répandent, tandis que la recherche de confort suscite la création et l'engouement pour d'innombrables meubles nouveaux. La spécialisation progressive de certaines fonctions conduit à la multiplication des petites pièces de service : boudoirs, mezzanines, garde-robes. La salle de bains revêt une importance croissante, et son mobilier est souvent aussi luxueux que celui des autres pièces. Les murs se couvrent de papiers peints ou de tissus, ou encore sont peints d'éléments architecturaux ou de scènes florales. Le Néo-Classicisme introduit les décorations à plat sur les murs, avec une prédilection extrêmement marquée pour les couleurs très claires ; veinures et marbrures succèdent aux scènes architecturales.

Ci-dessus. Salon. *Cette toile belge (1716) saisit une scène se déroulant dans une pièce de réception. On aperçoit au fond deux étagères murales, revêtues de tissu à rayures vertes ; à droite, la cheminée, apparemment l'élément le plus important du salon. J.J. Horemans,* Intérieur. *Kunsthandel Schlichte Bergen, Amsterdam.*

Ci-dessous. Salon. *Cette toile française (vers 1720) illustre bien le problème de l'éclairage à la tombée de la nuit. Les chandeliers de part et d'autre du miroir s'y reflètent, augmentant la luminosité ; d'autres bougeoirs sont placés sur la table, et la cheminée diffuse de chaudes lueurs. P.L. Dumesnil le Jeune,* Intérieur. *Metropolitan Museum of Art, New York.*

Ci-dessus. Salon. *La scène (vers 1728) représente un salon parisien avec des fauteuils bas et des murs tendus de soie. J.F. de Troy,* Intérieur. *Avec l'autorisation de la marquise de Cholmondeley.*

A gauche. Salle de toilette. *Dans cette luxueuse pièce française (v. 1727), les murs sont richement décorés de sculptures dorées ; on aperçoit à gauche une encoignure, à droite un canapé. J.F. de Troy,* Intérieur. *Nelson-Atkins Museum of Art, Kansas City, Missouri.*

Ci-dessus. Intérieur. *La toile (vers 1736) offre un aperçu d'une maison anglaise très pauvre, située dans une soupente, à en juger par la fenêtre ; sur la cheminée centrale, des plats de cuivre ; le plancher est fait de planches grossières. W. Hogarth,* Le Poète dans la misère. *Museum and Art Gallery, Birmingham.*

A gauche. Chambre à coucher. *Ce tableau (1742) représente le côté toilette d'une chambre à coucher parisienne. La cheminée est pourvue d'un écran pare-feu, à côté de la porte se trouve un paravent. F. Boucher,* La Toilette. *Collection Thyssen-Bornemisza, Lugano.*

A gauche. Bureau. *Cette toile (1744) représente le bureau-bibliothèque d'un lord anglais à Rome. La table est de la fin du Baroque, des sculptures d'apparence égyptienne décorent la bibliothèque. J. Russel,* William Drake de Shardeloes et ses précepteurs. *Avec l'autorisation du capitaine F. Tyrwhitt-Drake.*

Ci-dessus. Salon. *La toile (1744) offre un aperçu du salon dans une riche maison anglaise, divisé par un arc à colonnes. La première partie est dominée par une cheminée en marbre et par un grand tapis ; on aperçoit au fond la partie plus vaste de la salle, avec des sièges et des tables. W. Hogarth,* Le Mariage à la mode : la matinée. *National Gallery, Londres.*

Ci-dessous. La chambre à coucher. *Le tableau (1744) montre avec ironie la chambre à coucher d'une dame qui désire être égayée à son réveil par des amis et des musiciens. On aperçoit le lit rose dont les dimensions sont particulièrement imposantes. W. Hogarth,* Le Mariage à la mode : la « levée » de la dame. *National Gallery, Londres.*

A gauche. Chambre à coucher. *La scène, peinte en 1752, représente un intérieur allemand, probablement une chambre à coucher à en juger par la présence de la table de toilette. Les murs sont revêtus de panneaux richement encadrés à la manière française, tandis que les sièges sont d'inspiration anglaise. Le plancher est en bois, avec alternance de carrés clairs et foncés. J.V. Tischbein,* Intérieur. *Kunstmuseum, Düsseldorf.*

A droite. Bibliothèque. *La scène, peinte vers 1760, montre deux intellectuels français conversant dans une bibliothèque dominée par un grand meuble-bibliothèque. Ses vantaux sont entièrement tendus de rideaux destinés à protéger les livres de la lumière. Le mobilier est encore de goût rococo, le décor de la bibliothèque d'inspiration classique. F. Guérin.* Jeune Homme conversant avec une jeune femme. *Waddesdon Manor, National Trust, Grande-Bretagne.*

A gauche. Bureau. *Peinture (vers 1760) d'un intérieur de maison suédoise, dans un style nettement français. Les murs sont tendus de soie de Chine peinte, et la pendule adossée au mur à droite est presque certainement parisienne. Le tapis est turc, la bibliothèque-bureau et le guéridon sont d'origine anglaise. O. Fridsberg,* La Comtesse Tessin. *Musée national, Stockholm.*

A gauche. Salon. *Ce dessin (1765) montrant un salon danois traduit la simplicité fonctionnelle d'un intérieur échappant à la mode de l'époque. Le bureau est monté sur tréteaux ; la commode et la bibliothèque présentent une ligne géométrique, le grand poêle est en fer forgé. Lütken,* Intérieur. *Collection particulière.*

A droite. Chambre à coucher. *Peinte vers 1764 sur une plaque de porcelaine de Sèvres, la scène représente une luxueuse chambre à coucher française. Le mobilier est réalisé en suite, avec les fauteuils revêtus de la même soie à rayures blanches et roses que le lit, dont le bâti est en bois peint en blanc. On aperçoit à droite une cheminée surmontée d'un grand miroir. Le plancher est en parquet à motifs de losanges. Dodin,* Madame de Rocherouart. *Victoria and Albert Museum, Londres.*

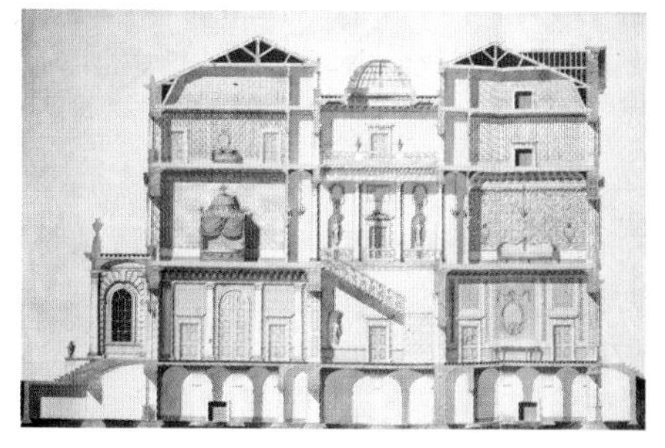

Ci-dessus. Coupe d'édifice. *Ce dessin, exécuté en 1774, montre le projet de mobilier d'une grande maison londonienne, pour laquelle l'architecte s'est borné à indiquer les objets relevant de sa compétence : le dessin et la couleur des tapisseries et la place des meubles les plus importants, comme le lit, le canapé et la toilette. Yenn,* Projet de mobilier. *Royal Academy, Londres.*

A gauche. Intérieur. *La toile, qui fut exécutée vers 1770, représente une des pièces d'habitation d'un collectionneur anglais dans un palais napolitain. Les murs sont couverts de tableaux et de dessins, le plancher est composé de plaques de terre cuite, le bureau à droite et les sièges sont certainement anglais. Anonyme,* Intérieur du palais Sesso à Naples *(fragment). Jocelyn Fielding Fine Art Ltd, Grande-Bretagne.*

A gauche. Chambre à coucher. *Ce tableau montre une chambre à coucher allemande vers 1780. Le bureau et le fauteuil sont d'inspiration française, le plancher est en parquet. On aperçoit à droite les tentures du lit. J.E. Schenau,* Intérieur. *Metropolitan Museum of Art, New York.*

A droite. Pièce de repos. *L'intérieur illustré ici, daté de 1780, montre une niche dans laquelle on a placé un lit de repos. Le mur est décoré de frises de type militaire et de festons de fleurs. Une glace constitue la paroi du fond de la niche. P. Ranson,* Projet de décoration d'intérieur. *Cooper-Hewitt Museum, New York.*

A gauche. Chambre à coucher. *Ce dessin, exécuté en 1783, représente une chambre à coucher ou une pièce de repos suédoise. Le lit est adossé au mur, à la mode française, le dais est fixé au mur. A noter, l'abondance de tableaux décorant la pièce. L. Sparrgren,* Intérieur. *Musée national, Stockholm.*

A gauche. Salle de bains. *Gravure en couleurs (1789) représentant la salle de bains d'une Parisienne. Des bancs recouverts de tissu sont incorporés dans les niches ; au centre, le bassin. Detournelle,* La Salle de bains de Mlle Dervieux. *Cabinet des estampes, Bibliothèque nationale, Paris.*

Ci-dessus. Salon. *Cet intérieur suédois de 1798, simplement meublé, montre quelques sièges d'inspiration anglaise. Au premier plan, deux modèles différents de bureaux se faisant face. O. Faust,* Intérieur. *Avec l'autorisation de S. Hallberg.*

A droite. Salle de bains. *Illustration florentine de 1798. La salle de bains est néo-classique, avec une baignoire, en granit, ornée de fontaines en forme de têtes de lions et d'un candélabre pour éclairer la pièce. Le siège, à droite, dissimule un bidet. Étude pour sélection d'éditions, Florence.*

Empire et Restauration

◆

Mobilier américain

◆

Biedermeier

◆

Louis-Philippe et Second Empire

◆

Historicisme et Éclectisme

◆

Style victorien

EMPIRE et RESTAURATION
(première moitié du XIXe siècle)

◆ Lorsque, le 2 décembre 1804, Napoléon est couronné empereur des Français, les caractéristiques du style Empire naissant sont déjà toutes présentes dans la période Directoire précédente. Les éléments de continuité sont particulièrement visibles dans les décors et dans les matériaux ; on note, en revanche, des différences dans les formes, plus rigides et plus majestueuses, et dans les proportions nouvelles, désormais dénuées de la grâce typiquement XVIIIe qui reste cependant toujours présente dans le mobilier Directoire.

La géométrie des parties s'accentue, les volumes se font plus solennels et plus massifs, les bronzes dorés sont rigoureusement symétriques, souvent enfermés dans des rectangles ou des losanges, décorés de palmettes, de feuilles variées, ou composés de simples bandes. L'inspiration classique est encore plus marquée par l'importance accordée aux motifs de sphinx, griffons, lions ailés, aigles, dauphins, centaures, amphores, danseuses vestales, de dimension accrue par rapport au Directoire et souvent disposés par paires, de façon à en souligner la solennité extrêmement dépouillée et métaphysique.

Un style sévère et grandiose

Les meubles présentent des surfaces planes d'où sont absentes les cannelures ; des statues en gaine, colonnes et pilastres soulignent les angles des secrétaires, des commodes et des armoires, conférant à l'ensemble un aspect sévère et grandiose, auquel concourent les décors floraux à sujet mythologique en bronze doré ou vert ancien, se détachant nettement sur les fonds sombres en acajou : bois favori des ébénistes de l'Empire, il apparaît flammé, moiré et ronceux. Par la suite, son interdiction pour motifs politiques conduit à une très large diffusion de meubles en bois clair comme la loupe d'orme, l'érable, la racine d'if ou, plus rarement, en bois peint, tandis que la demande de meubles dorés, à des fins de représentation, reste toujours extrêmement forte. Les motifs décoratifs de l'Empire sont constitués par des éléments symboliques comme l'aigle impérial, la victoire ailée, ou bien les représentations de la déesse Fortune, les étoiles, les abeilles ; ou encore par des motifs militaires : épées, flèches, trophées, et enfin le fameux N (Napoléon), inséparable de la couronne de laurier impériale. Très répandu, le motif du cygne,

Page ci-contre. Bonheur-du-jour. *Plaqué de plume d'acajou et décoré d'élégantes appliques de bronze doré, ce petit bureau féminin est composé d'un corps supérieur orné de colonnes délimitant l'abattant central et les deux vantaux latéraux. Les pieds avant sont gainés, la base s'incurve légèrement au centre.*

Ci-dessous. Commode. *En acajou, elle possède un tiroir sous le dessus de marbre et deux autres, plus grands, en dessous. La décoration, de festons et figures mythologiques en bronze doré, est typique de l'époque.*

particulièrement cher à l'impératrice Joséphine qui s'en entourera dans son château de La Malmaison, est employé pour les tapisseries, tapis, accoudoirs de fauteuils, chevets de lits, supports de lavabos et appliques.

Meubles et éléments caractéristiques de l'Empire

Le mobilier Empire reste en grande partie inspiré par la période précédente, les nouveautés se limitant à de rares modèles. Et, parmi ceux-ci, la psyché, grande glace mobile, de forme ovale ou rectangulaire ; la table de toilette, très courante dans les chambres des dames ; la boîte aux lettres, avec un corps rectangulaire porté par un piétement en lyre ou en X surmonté d'un plateau rabattable sous lequel est fixé un miroir. Il faut enfin mentionner le petit miroir portable, garni d'une glace mobile en forme d'écusson, montée sur un socle de bois muni d'un petit tiroir. Les dossiers des sièges perdent leur courbure en crosse typique du Directoire : ils sont désormais droits et carrés, ornés de simples moulurations, recouverts de tissu ou décorés de palmettes ou de motifs géométriques sculptés. Le lit bateau est toujours à la mode, d'autres modèles présentent un chevet droit, avec les montants parfois en forme de cariatide, de colonne ou de pilastre, surmontés d'une urne, d'un sphinx, d'une tête antique ; les pieds se terminent en griffes, sont tournés ou carrés, et ils peuvent être ornés des typiques bronzes dorés.
Les tables ne diffèrent guère des types de la période précédente ; presque toujours de forme ronde, rarement rectangulaires, portées par trois ou quatre pieds-colonnes ou par un unique élément central ; les colonnes reposent

Fauteuil. *Exécuté pour l'impératrice Joséphine par Jacob-Desmalter sur un dessin de Percier, ce fauteuil, laqué en blanc et doré, présente tous les éléments typiques du style Empire, avec le dossier enveloppant et les pieds en sabre. Une autre particularité, le motif des cygnes, très apprécié de l'impératrice.*

Lit. *Les montants sont ornés de petites colonnes, la base est constituée par une sorte d'estrade rectangulaire. Le détail montre la décoration figurant un char conduit par un aurige qui offre une couronne de laurier.*

elles-mêmes sur un socle caractéristique ; les plateaux peuvent être en marbre, mais aussi en verre ou en porcelaine. Parmi les petits meubles, le serre-papiers, destiné à ranger les documents, est très répandu : il peut présenter un aspect assez curieux, comme en témoignent les modèles en forme de livres accolés ou d'écusson.

Percier et Fontaine : les arbitres du goût

Figures dominantes du style Empire, ces deux architectes sont, grâce à leurs centaines de décorations d'intérieurs et de dessins de meubles, les créateurs du langage et des modèles à suivre, les véritables arbitres du goût de la France napoléonienne. Nommés en 1805 architectes du Louvre et des Tuileries, ils donnent une interprétation des motifs néo-classiques et égyptiens qui constituera la toile de fond esthétique, mais aussi psychologique, sur laquelle se développera le culte de Napoléon pour le meilleur et pour le pire. Leurs projets sont exécutés par les plus grands fabricants de meubles de l'époque, de Jacob-Desmalter à Bellangé, de Charles-Joseph Lemarchand à Pierre-Benoît Marcion. En 1812, leurs chemins se séparent, mais leur influence restera grande dans la période Restauration, où Fontaine gardera nombre des charges qu'il assumait durant l'Empire.

La Restauration

Après l'abdication de Napoléon (1814) et avec le retour des Bourbons, les éléments caractéristiques du style Empire, comme la sévérité des formes et la pompe monumentale de l'ensemble, font progressivement place à plus de grâce et de confort. La

Ci-dessous. Fauteuil. *Le dossier enveloppant est marqueté de motifs figurés à l'intérieur de couronnes de laurier, le raccord avec le siège rembourré est sculpté en forme de cygne. Le piètement est à section carrée, les pieds en bronze sont en forme de patte de lion, les pieds arrière typiquement en sabre recourbé.*

En bas. Commode. *En bois clair, elle est typique du goût Charles X, avec incrustations de motifs floraux. Les lignes sont adoucies ; la ceinture supérieure est légèrement évasée et les appliques de bronze sont absentes.*

période qui voit monter sur le trône Louis XVIII (1814-1824) reste dominée par l'Empire, à la fois pour des raisons de goût – le style précédent restant largement apprécié – et par souci d'économie : le souverain, en effet, ne commande plus de nouveaux meubles, se bornant à faire disparaître des modèles existants les emblèmes de l'odieux prédécesseur (le fameux N napoléonien, les abeilles, l'aigle impérial). Il faut attentre Charles X (1824-1830) pour que le tournant soit perceptible et qu'un changement de style suffisamment identifiable se fasse enfin jour.
A l'acajou tant répandu dans le style Empire on préfère tout à coup les bois blonds (frêne, orme, citronnier, érable, platane et sycomore), tandis que les applications de bronze doré se raréfient, remplacées par de minces filets incrustés en bois foncé, comme le palissandre et l'amarante. Palmettes, rinceaux, rosaces, fleurs et guirlandes sont toujours inspirés de l'antique, mais ils se distinguent par leur grâce quasi féminine, les arêtes et les courbes s'adoucissent. Les types se multiplient, surtout dans la catégorie des petits meubles. Les dossiers des sièges, confortables, sont souvent en gondole, les chaises présentent une partie évidée dite « prise à main » (ou à poignée), les commodes adoptent le modèle à l'anglaise, dissimulant leurs tiroirs derrière des portes

souvent décorées en suite avec les secrétaires. A la période Restauration, certains des grands dessinateurs de meubles de l'Ancien Régime reviennent à la cour, comme Dugourc et Bélanger, tandis que Jacob-Desmalter et Bellangé poursuivent avec succès leur œuvre de fournisseurs du roi ; il faut citer aussi, parmi les autres ébénistes, Jean-Jacques Werner, Félix Rémond et Louis-François Puteaux.

Le style Empire en Europe

Hormis l'Angleterre, où le Néo-Classicisme particulier d'Adam évolue vers le Regency, un style correspondant à l'Empire, il n'est pas un pays d'Europe, y compris la Russie, qui n'ait subi la fascination grandiose et un tantinet rhétorique du goût français. En Italie, la présence militaire et politique de Napoléon a laissé partout des traces importantes. En Lombardie, les meubles sont souvent peints en blanc, les parties

Lit. *Le dais est soutenu par quatre statues sculptées et peintes avec des têtes égyptiennes, dont la coiffure en bronze se termine en palmettes. Au-dessus de la coupole, une amphore en bois peint.*

décorées rehaussées d'or. En Toscane, où avec la grande-duchesse Elisa Baciocchi on respire alors le faste des grandes cours napoléoniennes d'Europe, grâce aussi au renouvellement du mobilier du palais Pitti et autres demeures seigneuriales, des meubles ingénieux voient le jour, comme ce beau bureau de voyage en acajou réalisé par l'ébéniste florentin Socci, dont un exemplaire sera offert par la princesse Baciocchi à Napoléon. A Naples, le goût français est visible dans les splendeurs du Palazzo Reale et de la Reggia de Caserte, où les appartements de Joachim Murat figurent parmi les plus beaux exemples du style Empire en Italie. Mais c'est l'architecte, ornemaniste et dessinateur de meubles Pelagio Palagi qui exprime avec la plus grande originalité la phase extrême du Néo-Classicisme italien. Son mobilier offre un mélange exubérant de motifs grecs,

◆ FAUTEUIL. En bois naturel ou peint en blanc et rehaussé de dorures, il a un aspect massif et carré. Dans cette structure s'insère un décor de palmettes et de feuilles ; les pieds avant, terminés en pattes de lion (*voir* figure), sont raccordés à l'accotoir par un buste féminin, un cygne ou un lion sculptés. A la Restauration, on préfère la ligne du fauteuil gondole, qui reprend la courbure du dossier du siège cabriolet.

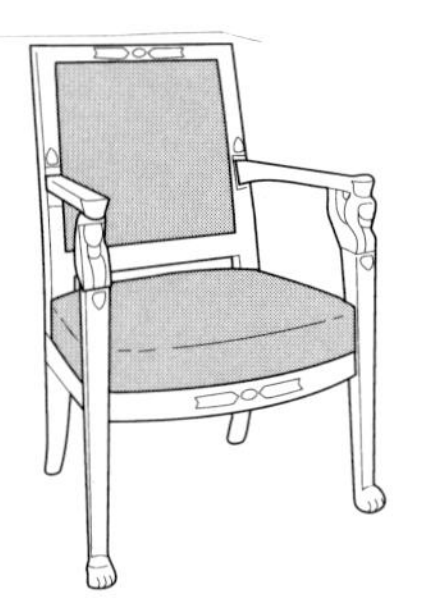

◆ CHAISES ET TABOURETS. Les chaises Empire ont une forme rigide et lourde, allégée seulement par le dossier souvent ajouré et découpé en diverses formes ; les pieds peuvent être en sabre ou droits, tournés ou en balustre. Dans les chaises Restauration, la ligne en gondole avec les pieds en sabre est très en vogue. Sous Napoléon se répand la mode des tabourets dits « taboures » (*voir* figure), à pieds en forme de sabre entretoisé et reliés par une traverse ; parfois les pieds se prolongent au-dessus du siège, en formant avec les gardes deux courts accotoirs.

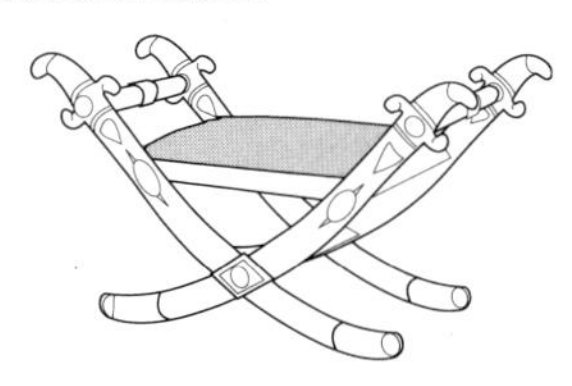

Guéridon. *Dessiné en 1809 par Schinkel pour la chambre de la femme de Frédéric-Guillaume III de Prusse, ce petit meuble en bois de bouleau traduit bien toute la réélaboration personnelle des motifs classiques, alliée à une légèreté et une verticalité plutôt éloignées du goût Empire dominant.*

CHARLES PERCIER (1764-1838) PIERRE-FRANÇOIS-LÉONARD FONTAINE (1762-1853)
Avec la réalisation du mobilier de La Malmaison de Joséphine Bonaparte, puis la publication du Recueil de décorations intérieures, *Percier et Fontaine sont les créateurs et théoriciens du style officiel Empire, parmi les premiers à introduire la notion de décoration d'intérieurs.*

JACOB-DESMALTER (1770-1841)
Fils de Georges Jacob, il utilise avec un grand talent toutes les techniques disponibles ; ses meubles, parmi les plus beaux de la période Empire, sont réalisés d'après les dessins de Percier et de Fontaine.

PIERRE-ANTOINE BELLANGÉ (1758-1837)
Ébéniste officiel de la cour sous Louis XVIII et fournisseur de la Maison-Blanche, à Washington. Il utilise pour ses meubles les motifs décoratifs d'inspiration Renaissance et gothique.

PELAGIO PALAGI (1775-1860)
Né à Bologne, mais actif dans toute l'Italie en qualité d'architecte, de sculpteur et de dessinateur, il se charge de la décoration du Quirinal, à Rome, et du château de Racconigi, prêtant une grande attention au rapport entre mobilier et intérieur. Ses meubles témoignent de son goût et de son habileté pour les décors richement sculptés.

KARL FRIEDRICH SCHINKEL (1781-1841)
Il dessine des meubles originaux, simples et très fonctionnels, préfigurant des tendances plus modernes ; il conserve les formes linéaires du style Empire, mais renonce en grande partie à son décor caractéristique.

étrusques, romains et égyptiens, dont le langage typique, fait de grecques, palmettes, volutes, figures mythologiques, presque toujours dorées, est traité avec un relief plastique

◆ PSYCHÉ. Grande glace verticale entourée d'un cadre de bois, généralement en acajou, soutenue par deux montants en colonne, avec ou sans socle ; des pivots permettent d'en varier l'inclinaison. Selon la forme – ovale ou rectangulaire –, le cadre peut avoir un grand fronton, tandis que des chandeliers de bronze sont fixés à mi-hauteur. Les exemplaires plus importants sont ornés d'applications en bronze doré représentant des figures classiques, des palmettes, des festons et autres éléments typiques de la période.

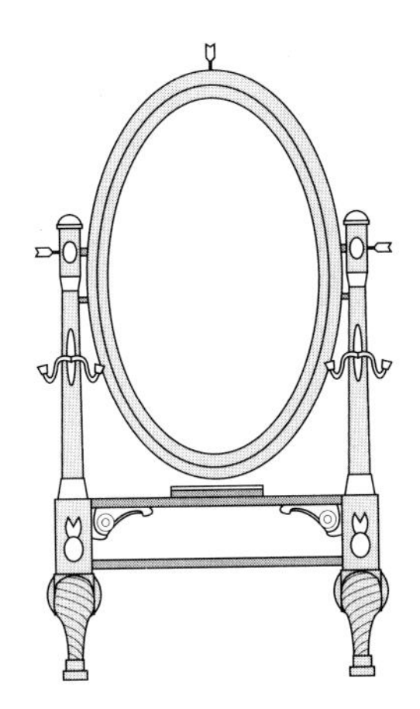

◆ CONSOLE. Durant l'Empire, elle reste un meuble d'appui, mais toujours garni d'une glace. Le modèle favori est rectangulaire, à pieds avant constitués par des cygnes, des lions ailés et autres êtres fabuleux. Le plateau est en marbre ou en mosaïque, les autres parties marquetées ou décorées de bronzes d'applique ; le bois est souvent peint en blanc, avec des dorures. A la Restauration, la préférence se porte vers les modèles plus petits et plus légers, en demi-lune et en bois naturel, toujours assortis d'un miroir mural.

Table. *Dessinée par Palagi en 1836, cette table en bronze doré exprime l'exubérance de la version italienne de la fin du Néo-Classicisme, qui interprète alors les citations grecques et romaines avec une emphase typiquement baroque. La ceinture est richement décorée de volutes serrées, les pieds sont constitués par des figures ailées.*

digne de la période baroque. Karl Friedrich Schinkel est le plus grand architecte néo-classique allemand, très actif aussi comme dessinateur de meubles. Schinkel exprime avec sobriété et élégance les principes du retour à l'Antiquité classique, comme en témoignent les meubles qu'il dessina en 1817 pour le prince Frédéric et en 1818 pour le prince Auguste, et qui préfigurent de nombreux éléments du style Biedermeier qui devait suivre.

◆ TABLE. Avec l'Empire revient la table centrale ronde et majestueuse, en bois massif ou en bronze ; elle repose sur un unique élément central, qui peut être soit une colonne ou un pilastre, soit, dans les exemplaires plus prestigieux, une composition élaborée, sculptée ou fondue en métal, de sphinx, cariatides, chimères. A la Restauration, ce meuble se simplifie, mais reste rond et avec une base centrale richement sculptée ; la table de salle à manger, également à rallonges, munie de tiroirs, en offre un exemple.

◆ CHIFFONNIER. Meuble plus haut et plus étroit que la commode ; garni d'une rangée de tiroirs, généralement au nombre de cinq ou six, destinés à ranger des étoffes et des petits chapeaux, il est utilisé essentiellement dans la chambre à coucher. Il est très répandu, également hors de France : en Italie, par exemple, existe le semainier *(settimanale)*, qui est très semblable au chiffonnier, ainsi appelé parce que muni de sept tiroirs ; en Angleterre, le *tallboy* se distingue par ses tiroirs de hauteur décroissante de bas en haut.

La dorure

La dorure est une technique très ancienne, qui peut être exécutée sur des surfaces extrêmement variées avec des méthodes diverses. La plus simple consiste à mélanger la poudre d'or avec des substances adhésives, comme le blanc d'œuf, et à appliquer ensuite la pâte sur l'objet à dorer. Pour le bois, le procédé le plus répandu est celui de la feuille d'or : le bois est soigneusement préparé avec une base de bol – un composé d'argile –, sur laquelle on fait adhérer avec soin et délicatesse de minces feuilles d'or. Cette technique donne de meilleurs résultats que l'application de poudre d'or diluée dans des collants. Une fausse dorure est dite « au vermeil », une dorure appliquée en plusieurs couches sur une surface préalablement argentée.

CARACTÉRISTIQUES DES STYLES EMPIRE ET RESTAURATION

Empire

1. Dossier de chaise.
2-3. Pieds de fauteuil.
4. Pied de chaise.
5. Décor de style romain.
6. Support de table avec figure anthropozoomorphe.
7. Couronne de laurier.

Restauration

8. Pied de fauteuil.
9-10. Décors pour incrustations.
11. Dossier de chaise.

MOBILIER AMÉRICAIN
(XVIIIe siècle et première moitié du XIXe)

◆ Même si la période coloniale (1630-1700) est marquée par des événements d'un certain intérêt, on ne peut parler de mobilier américain qu'à compter du XVIIIe siècle : en effet, une fois achevée la phase de colonisation anglaise, hollandaise, suédoise, espagnole et française, l'Angleterre jouit en Amérique du Nord d'une indiscutable suprématie, politique et culturelle ; désormais, le style du mobilier se définira, bien qu'avec un certain décalage, par rapport aux modèles britanniques. Cette dépendance, favorisée également par l'importation continuelle de meubles anglais, est toutefois relative, car le mobilier américain présente souvent des solutions originales et une exécution d'une qualité toujours excellente.

Vers un style autonome

Au début du XVIIIe siècle, alors que le style Queen Anne bat son plein en Angleterre, le William and Mary est en vogue en Amérique, mais dans une version moins luxueuse et résolument plus pratique. Se répandent les très larges fauteuils rembourrés, munis de traverses d'entretoise tournées, les chaises au dossier si caractéristique à barres horizontales et à montants verticaux surmontés de courts pinacles, les lits de repos garnis de coussins posés sur un bâti canné. Tables et

Chiffonnier à deux corps. *Si les proportions et la hauteur décroissante des tiroirs sont nettement d'inspiration anglaise, certains éléments sont typiquement américains, comme les pinacles renversés dans la bande inférieure et les poignées en relief.*

Table de jeu. *En acajou de Saint-Domingue, elle est caractérisée par une ceinture haute et par des supports différents, dont trois, plus simples, ont le pied dit* pad foot *(pied sur coussin) ; le quatrième, le plus important, a le genou sculpté et le pied* claw and ball, *avec des griffes enserrant un globe.*

sièges se distinguent par leurs pieds typiques, qui peuvent être en boule aplatie (dite également en oignon) ou en pinceau (le pied se termine par une courte courbe vers l'extérieur, évoquant la forme d'un pinceau pressé contre une surface). Parmi les meubles de rangement, les modèles les plus appréciés sont la commode haute – dite *highboy* – ou basse – *lowboy* – et une armoire d'origine hollandaise, appelée *kas*. Le *highboy* comporte des rangées de tiroirs de hauteur décroissante de bas en haut ; le dessus est généralement composé d'un fronton curviligne brisé, orné de fins pinacles ; les pieds présentent la courbe typique en cabriole. Le *lowboy* comporte une ou deux rangées de tiroirs et les pieds sont également en cabriole. Le *kas*, très populaire, surtout à New York, a un aspect massif, atténué toutefois par des peintures représentant des guirlandes de fleurs et des compositions de fruits ; le couronnement, typique, forme légèrement saillie. Les bois les plus couramment employés sont l'acajou, le chêne, l'érable et le noyer.

Le motif « à coquille »

Après 1720, le Queen Anne se répand ; les pieds en cabriole survivent, tandis que les lignes s'allègent et que le mobilier acquiert une certaine élégance formelle. A Boston sont produits les premiers meubles laqués américains : de qualité médiocre, ils ont en outre malheureusement perdu de leur ancienne élégance. Un motif sculpté en forme de coquille nervurée, très typique – ornant également la partie supérieure des supports en cabriole des sièges –, se développe et persistera au siècle suivant, tandis que les pieds adoptent la forme caractéristique à griffes. Le siège Windsor se distingue en Amérique du modèle anglais, revêtant une forme et des proportions qui lui sont propres : le siège est plus épais, les pieds sont plus évasés, l'ensemble présentant un aspect bien plus élégant. Il en existe d'intéressantes variantes : la chaise-bureau (dont l'accotoir droit est ingénieusement transformé en écritoire et muni d'un petit tiroir pour ranger la plume et d'un chandelier que l'on peut ôter) et le sofa à deux places, à haut dossier. Dans la seconde moitié du XVIIIe siècle, le style Chippendale prédomine, manifeste principalement dans la forme caractéristique des pieds des meubles à boule et griffes, *claw and ball*, dans l'extrême variété des dossiers ajourés des sièges et dans les pieds en cabriole. Philadelphie est la ville qui exprime le mieux le goût Chippendale, caractérisé par les meubles chargés d'un abondant décor sculpté d'une extrême finesse et présentant des solutions souvent intégralement empruntées aux célèbres recueils de l'ébéniste anglais ; les secrétaires, les commodes à poignées en cuivre et pieds en console, les *butterfly tables* (tables papillons), les bureaux

Ci-dessous. Guéridon de travail. *Attribué à Phyfe et exécuté vers 1810, ce petit meuble en acajou montre, dans l'aspect compact et linéaire du corps, une simplicité typiquement américaine.*

En bas. Divan. *De goût Regency, il est en érable peint, imitant le bois de rose, plus précieux ; l'originalité réside dans le mouvement des volutes des appuis et des pieds.*

à abattant, les tables de jeu ou réservées à d'autres usages, rondes ou rectangulaires, sont largement répandus. Nombre de ces meubles présentent la surface typique en relief ou en *blockfront*, toujours orné du motif de la coquille.

Le style Federal

A la fin du siècle, tandis que se fait sentir l'influence de Hepplewhite et de Sheraton, le style Federal (1790-1830) voit le jour, fortement marqué par le Néo-Classicisme d'Adam d'une part, et par le style Directoire de l'autre. Les pieds en cabriole disparaissent, remplacés par les modèles droits ou bien en sabre. Les éléments décoratifs typiques du monde classique apparaissent : cannelures, festons, rosaces, guirlandes, lyres, amphores. Les dossiers de chaises et de canapés adoptent souvent la forme en écusson et à toupie, ou sont rectangulaires, avec des motifs ajourés en losange, en balustre, en lyre ; on voit aussi les meubles peints à décor en or ou plaqués d'acajou. Un meuble particulier mérite une mention spéciale : le *Salem secretary*, ainsi appelé parce que fabriqué dans cette ville ; il s'agit d'un élégant meuble combinant les caractéristiques d'un cabinet à abattant et d'une bibliothèque, vitrée et légèrement en retrait.

Les grands ébénistes

De nombreux ébénistes américains ont produit des meubles splendides, notamment John Goddard, actif à Newport, dont il faut rappeler les bureaux, *lowboys*, ainsi que les horloges, tables et chaises de style Queen Anne. A Philadelphie, un atelier très connu est celui de Benjamin Randolph et de Thomas Affleck, spécialisés, dans les années qui précèdent la révolution américaine, en mobilier rococo de nette inspiration Chippendale. A New York œuvre l'un des plus importants ébénistes, Duncan Phyfe, dont les meubles, interprétation personnelle du Regency et de l'Empire, sont reconnaissables à l'élégance de leurs proportions et aux typiques décors à festons, à rangées de grains et à flèches sculptées, traités dans le splendide acajou provenant d'Hispaniola. A New York, Charles-Honoré Lannuier est également connu pour sa

Lit à baldaquin. *Exemple du style linéaire de la période dite Federal, il présente d'élégantes colonnettes renflées au milieu et s'amincissant vers le haut.*

JOHN GODDARD
(1723-1785)
Américain, né à Dortmouth dans le Massachusetts, il réside et œuvre à partir de 1745 dans l'important centre de Newport, dans le Rhode Island. Sa production est totalement originale, bien qu'influencée par le goût anglais dominant ; il utilise souvent, et avec une remarquable efficacité, la technique décorative du blockfront.

DUNCAN PHYFE
(1768-1854)
Né en Écosse, il devient bientôt l'ébéniste le plus connu de New York ; il remporte un tel succès qu'il arrive à employer dans son atelier un personnel d'une centaine de personnes. Ses productions sont d'une remarquable qualité, du moins jusqu'en 1830 : réalisés d'après des modèles déjà affirmés en Europe dans le style Sheraton et Directoire, ses meubles sont également très appréciés des Américains.

JOHN HENRY BELTER
(1804-1863)
D'origine allemande, il est actif dès 1844 à New York, où il est très apprécié, notamment pour ses beaux salons en bois incurvé selon le procédé à chaud du bentwood, *réalisé à l'aide de couches superposées de palissandre, et richement sculpté. Ses meubles sont influencés par l'opulence du Néo-Rococo allemand, dont il devient, avec un très grand succès, le porte-parole en Amérique.*

◆ MEUBLES SHAKERS. Le plus connu de ces meubles, la chaise, de ligne simple et sobre, témoigne d'une exécution soignée et habile : elle a les montants tournés, le dossier à barreaux et le siège paillé ou tendu de bandes de toile entrecroisées ; il en existe différents modèles (avec et sans accotoirs, à bascule), selon l'usage.

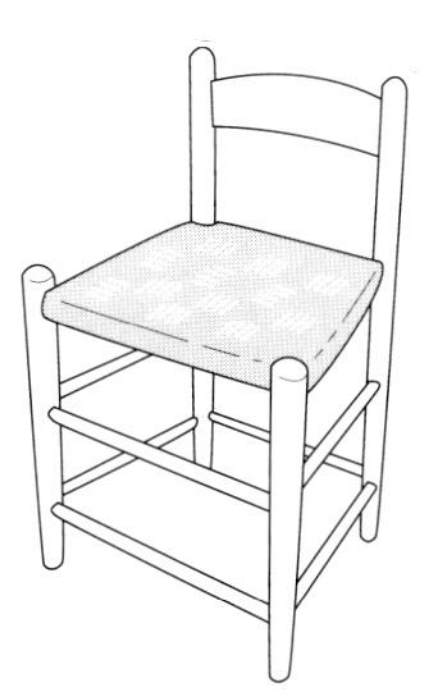

◆ BUTTERFLY TABLE. Cette petite table « papillon » doit son nom à la forme des supports mobiles d'abattant qui évoquent des ailes de papillon. Le plateau, généralement fixe et de forme ovale ou rectangulaire, est garni en dessous d'un tiroir ; les pieds sont évasés et travaillés au tour.

production de meubles de style Empire, caractérisés par des applications en bronze doré venant de France. Il faut citer aussi John Henry Belter, dont la production se distingue par une emphase décorative faite de guirlandes de fleurs, de fruits, d'entrelacs de feuilles, de cornes d'abondance de marque nettement néo-rococo.

Les meubles Shakers

Les Shakers forment une communauté religieuse d'origine anglaise, fondée dans la seconde moitié du XVIIIe siècle et devenue célèbre grâce au style de sa production de meubles. Le mobilier Shakers se caractérise essentiellement par sa

Commode. *Exécutée par Goddard vers 1770, elle présente une façade mouvementée, subdivisée en trois parties ; les poignées et les « boutons » de cuivre sont du type « à ailes déployées », très répandu.*

Le travail en blockfront

De nombreux meubles produits dans le Rhode Island, à Newport, et notamment par les membres des familles d'ébénistes et de fabricants de meubles Goddard et Townsend, présentent un panneau en saillie à décor sculpté, d'une ligne renflée : le blockfront, typique du mobilier américain de la seconde moitié du XVIIIe siècle. La façade du meuble – notamment des commodes, tables de toilette, cabinets, secrétaires à abattant et du type kneehole *(avec un espace libre pour les genoux) – comporte un large panneau central en saillie par rapport aux parties latérales en retrait, le tout est traité dans un bloc de bois unique. Dans la partie supérieure, ce motif fermé en arc est le plus souvent orné d'une coquille sculptée.*

◆ KAS. Massive armoire d'origine hollandaise, à un ou deux corps, très répandue en Amérique au début du XIXe siècle. Elle a deux portes – habituellement à décor de guirlandes ou de grosses grappes de fruits colorés – et, souvent, deux tiroirs dans la partie inférieure ; les pieds sont en oignon. Très caractéristique : l'imposante corniche, saillante par rapport au corps du meuble.

◆ HIGHBOY. Dérivé du *tallboy* anglais, c'est une commode qui a l'aspect d'un meuble à deux corps, garni de cinq rangées de tiroirs de hauteur décroissante de bas en haut, et d'un soubassement en forme de table à deux tiroirs ou plus. La production

A gauche. Table de travail. *Exécutée en bois de bouleau et de pin, cette table simple exprime pleinement la philosophie des Shakers, fondée sur l'aspect pratique et la simplicité des formes. Le plan de travail est muni d'une bordure pour empêcher les objets de tomber ; un tiroir est inséré dans la ceinture latérale, les pieds sont tournés et fuselés.*

A droite. Fauteuil à bascule. *Modèle typique de la production des Shakers, ce fauteuil a le siège en paille et le dossier caractéristique à barres, le dernier barreau offrant la possibilité d'attacher un coussin repose-tête. Le bouton de raccordement de l'accotoir au support avant est particulier aux sièges Shakers.*

simplicité, sa solidité et sa fonctionnalité ; les chaises typiques au dossier à barreaux, produites dans de nombreuses variantes, avec des accotoirs (dont l'élément distinctif est le « bouton » tourné du raccordement du bras et du pied avant) ou sans, sont inspirées de modèles rustiques anglais. A l'égal des chaises, meubles Shakers les plus connus, les armoires, crédences, berceaux, tables, lits sont conçus avec une extraordinaire intelligence, anticipant souvent des solutions techniques et formelles qui seront adoptées presque un siècle plus tard par des architectes et designers du XXe siècle. Chaque fonction est

en effet étudiée de façon spécifique, et l'on en arrive aussi à modifier légèrement les proportions de certains meubles pour les affecter à d'autres usages. Le succès de ces meubles est tel que la communauté s'organise, éditant des catalogues avec la liste des pièces et leur prix ; ce qui n'empêchera pas, cependant, la production de faux Shakers. Au cours de la seconde moitié du XIXe siècle, la fabrication, jusqu'ici artisanale, devient industrielle.

---

s'étend pendant tout le XVIIIe siècle, les plus beaux spécimens étant fabriqués à Philadelphie ; ils comportent un couronnement richement sculpté en volute ou en col de cygne et des pieds en cabriole.

◆ LOWBOY. Table garde-robe ou commode, rappelant la *dressing table* anglaise, à une ou deux rangées de tiroirs ; les pieds sont en cabriole. Il est très semblable à la partie inférieure du *highboy,* mais ce dernier comporte deux corps séparés, dont la base est constituée par cette table.

◆ BOSTON ROCKER. Modèle américain très répandu de chaise à bascule, fabriqué à Boston, il ressemble beaucoup au type Windsor, en usage vers 1840. Le siège, de ligne caractéristique en S, est en bois massif, épousant la forme du corps, dessinant une courbe vers le bas sur le devant ; le dossier, plutôt haut, se termine par une latte de profil curviligne, d'où partent les typiques baguettes verticales. Le siège, traité dans des essences variées, est généralement peint et décoré de simples guirlandes de fleurs qui en atténuent l'aspect rustique.

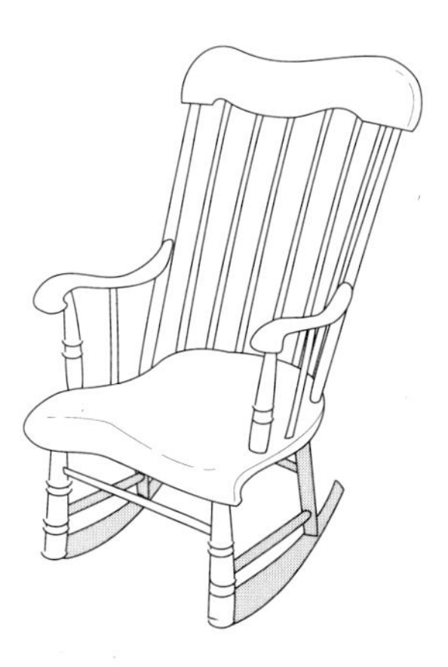

BIEDERMEIER
(première moitié du XIXe siècle)

◆ Le nom de Biedermeier, synonyme d'une personne entièrement axée sur son bien-être personnel et dépourvue d'intérêts culturels, continua à s'appliquer à un style bourgeois longtemps après sa disparition (il avait été repris par un journal satirique dans une intention nettement caricaturale). Largement revalorisé à l'heure actuelle, le Biedermeier est considéré comme l'une des expressions stylistiques les plus intéressantes du début du XIXe siècle. Développé en Autriche au lendemain du Congrès de Vienne (1815), il apparaît d'abord comme une variante du style Empire pour revêtir, au cours des années suivantes, des caractères et des formes propres, bien que soumis à certaines influences (notamment anglaises) dues aux nombreux « revivals » de styles du passé répandus dans toute l'Europe. L'image qu'il donne est celle d'un style sec, supplantant la monumentalité de l'Empire par des solutions pratiques et fonctionnelles, par la grâce des lignes sinueuses qui semblent préfigurer le Jugendstil et, enfin, par une salutaire dose d'ironie. Celle-ci permet des rapprochements formels parfois surprenants et non dépourvus d'un certain expérimentalisme, qui font du Biedermeier un style subtilement « moderne », que certains courants contemporains ont regardé avec une évidente sympathie.

Secrétaire. *En bois de cerisier, il est conçu avec un net souci de géométrie. Daté des environs de 1820, il est très caractéristique du goût du Biedermeier autrichien. Les pieds en pattes de lion et les sphinx ailés dérivent du style Empire.*

A l'enseigne du pratique

Les volumes, parfaitement nets, s'expriment dans les formes simples du parallélépipède, du cube ou du cylindre ; le décor se réduit à de simples filetages de bois

Encoignure. *Plaquée en bois satiné, avec des applications en bois d'ébène, elle présente d'élégants motifs stylisés, en forme de losanges allongés dans la partie supérieure et de lyre dans la partie inférieure. Le dessus est en marbre noir, les pieds de devant sont tournés en balustre.*

foncé – ou clair, selon la tonalité du fond – dessinant des rectangles, des losanges, d'élégantes arabesques végétales ou de petites figures grotesques, tandis que les applications en bronze doré tendent à disparaître. Les parties sculptées sont limitées à de petits éléments tels que volutes, boucles, palmettes, feuilles d'acanthe, coquilles et cercles concentriques, toujours réalisés avec une grande simplicité et disposés de façon à exalter de manière parfaite toute la synthèse formelle des volumes, sans jamais se superposer à eux.
Les supports des tables peuvent être à une, deux ou quatre colonnes contractées vers le haut et vers le bas – ce qui leur confère parfois un aspect conique – et reposent sur des bases aux formes très sinueuses, tandis que les plateaux, de forme ovale ou circulaire, sont le plus souvent à rallonges.
Les chaises offrent de très nombreuses variantes, dans les dossiers surtout, et présentent un décor presque toujours chantourné, qui confère à l'ensemble une particulière élégance. Les secrétaires, très prisés, surtout des dames, peuvent présenter une structure architecturale, avec des colonnes aux angles latéraux, supportées par de hauts soubassements, et un triangle stylisé placé sous le couronnement symbolisant le tympan. Également très répandu, le cabinet en forme de lyre offre la belle et caractéristique courbure de la partie inférieure du meuble reliée à une base carrée ou curviligne.
Le fameux bureau réalisé par Josef Danhauser en plusieurs très belles versions est d'une particulière originalité : son plateau ovale est supporté par deux robustes colonnes latérales cannelées et reliées à la base par un repose-pieds, tandis qu'une rangée de petits tiroirs disposés en éventail épouse parfaitement le profil de la surface.

Ci-dessous. Bureau. *De forme fonctionnelle, ce bureau d'origine viennoise présente les supports droits et les pieds reliés par une traverse tournée. Le dessus curviligne contient des tiroirs.*

En bas. Chaise. *Le siège et les pieds à section carrée de cette chaise, fabriquée en Autriche vers 1820, rappellent l'Empire ; le dossier « en éventail » figure parmi les motifs typiques du Biedermeier.*

Abondance et fantaisie

La gamme des chaises est particulièrement variée : les pieds, surtout, sont caractéristiques, presque toujours droits ou en sabre, à section carrée, ou dans certains cas en cabriole, ou encore tournés en balustre ; et plus encore les dossiers, qui présentent la forme typique en éventail ou en fleur, d'une élégance toute viennoise préfigurant les fantaisies florales de la fin du siècle. Les sièges sont rembourrés et revêtus de tissus unis, ou imprimés de fleurs ou de rayures. Fauteuils et sofas trahissent cette recherche du confort typique de l'époque et commune également au style Louis-Philippe contemporain. Les lignes se plient aux exigences du corps. Les accotoirs, souvent en forme de boucle, sont rembourrés, tandis que dossiers et fonds de sièges ne dédaignent pas les coussins. Les armoires et les commodes perdent l'aspect massif qui les caractérisait aux époques précédentes, grâce à la simplicité de leur structure et à leurs dimensions modestes. Le changement de style de vie et l'attention particulière accordée au confort d'une maison bourgeoise donnent naissance à une série de petits meubles pratiques, généralement placés près d'un fauteuil, d'où leur nom de *Nähtische*, c'est-à-dire à portée de main : paniers à linge, porte-cartes, tables de jeu, meubles de musique et guéridons de travail, à structure souvent fantaisiste, comme ceux en forme de panier ou de boule dans lesquels sont logés de petits tiroirs. Les bois les plus répandus sont l'érable, le bouleau, le poirier, le noyer, le frêne et le mélèze ; moins courant en raison de son prix, l'acajou est généralement employé en placage sur des meubles de prix ; son poli fait ressortir les veinages du bois, créant souvent un effet de sobriété saisissant.

Concepteurs et fabricants

Le style Biedermeier, bien qu'avec des caractéristiques très différentes, se répand principalement en Autriche et dans les régions de langue allemande ; il connaît cependant des moments intéressants en Hongrie, dans les pays scandinaves, en Russie et même en Italie. Alors que, dans toute l'Europe, les artisans se transforment en de simples exécutants des projets d'architectes et de décorateurs, les ébénistes du Biedermeier continuent à

Canapé. *Provenant de Suède et réalisé entre 1820 et 1830, il se caractérise par les enroulements de ses volumineux accotoirs, dont les encadrements centraux représentent un serpent se mordant la queue. A la simplicité du décor s'oppose une base ouvragée sculptée de feuilles d'acanthe et des pieds en boule.*

concevoir les meubles qu'ils réalisent. Grâce à leur capacité à déceler les formes et les fonctions les plus conformes au goût – bourgeois certes, mais pas rétrograde – de leurs clients, des meubles solides et d'excellente facture voient le jour, avec des résultats esthétiques souvent tout à fait extraordinaires. Paradoxalement, rares sont les noms connus des artisans qui ont créé le style Biedermeier, alors même qu'une ville comme Vienne compte environ 900 ébénistes en 1816 ; il faut citer, parmi ces derniers, le grand Danhauser, qui a laissé plus de deux mille cinq cents dessins de meubles. A Berlin travaillent Adolph Friedrich Voigt et Karl Georg Wanschaff, à Innsbrusk Johann Nepomuk

Bois ployé à la vapeur

En 1808, l'Américain Gragg fait breveter un système de ployage du bois à chaud. Par la suite, Michael Thonet mettra au point, en 1841, un procédé plus efficace en utilisant du bois massif : des blocs de hêtre de section 3 × 3 centimètres. La méthode consiste à mouler à la vapeur des panneaux de bois déjà tournés : l'humidité ainsi absorbée rend le bois flexible, apte à supporter des courbes de rayon très étroit. Bloqué à l'aide de contreformes et mis à sécher, le bois conserve définitivement la forme voulue, tout en gardant une bonne élasticité. Ce procédé simplifie le travail de fabrication, car il n'est plus besoin alors de procéder à l'emboîtement des pièces.

◆ Guéridons de service. Répandues un peu partout, ces petites tables sont nombreuses et spécialisées : tables à écrire, à ouvrage (*voir* figure) avec, par exemple, un plateau glissant pour découvrir un évidement où ranger les objets, de musique, garnie de petits tiroirs masquant les pupitres, de toilette, ou plus simplement trouvant place comme plans d'appui près des sofas et des fauteuils. La préférence va aux plateaux ronds et aux pieds de ligne sinueuse, souvent en bois ployé, qui s'insèrent à merveille dans les décors à côté de meubles importants.

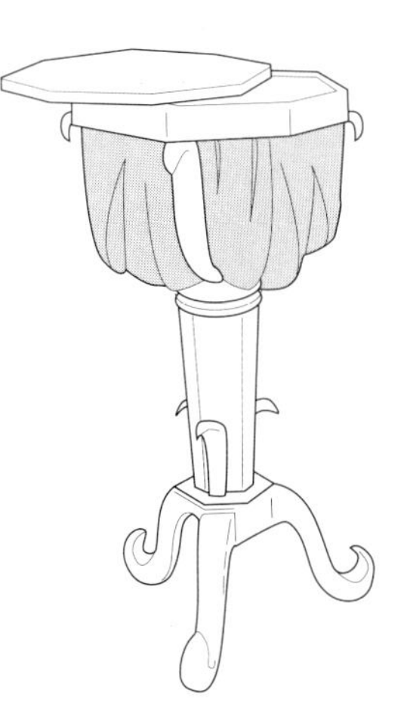

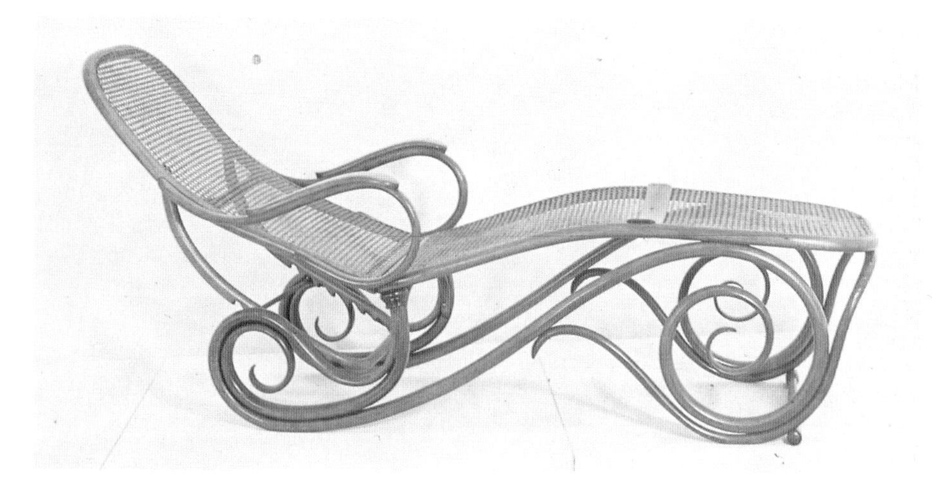

Transatlantique. *En hêtre ployé, avec les plans d'appui en roseau d'Inde, il témoigne de la survivance, dans l'œuvre de Thonet, des principes caractéristiques du Biedermeier autrichien : commodité, aisance et fonctionnalité. Le détail montre la courbe en boucle préfigurant la ligne « en fouet » de l'Art nouveau.*

JOSEF DANHAUSER
(1780-1830)
Le plus grand producteur de mobilier viennois et l'un des premiers à avoir introduit dans les maisons bourgeoises le style Biedermeier, il réalise des meubles solides, de ligne nette et à décors légers, dans une vaste gamme de modèles, caractérisés par des formes souvent assez extraordinaires et nouvelles. A sa mort, son fils Joseph poursuivra son œuvre.

MICHAEL THONET
(1796-1871)
Il met au point une technique toute personnelle (brevetée en 1841) pour produire des meubles en bois ployé. Présentées à de nombreuses expositions internationales, ses créations – chaises, canapés, fauteuils à bascule, guéridons et petits meubles – obtiennent un grand succès dans le monde entier, engendrant de nombreux imitateurs.

◆ CANAPÉ. Meuble central de la pièce de séjour, où il est toujours présent, flanqué de fauteuils et d'un ou de plusieurs guéridons. Bien rembourré et garni de coussins, il est particulièrement confortable. Les accotoirs, comme les pieds, ont presque toujours une ligne en volute ; si les premiers sont en bois tout au début du Biedermeier, la tendance est de les rembourrer, tout en conservant un mouvement sinueux qui semble reprendre certains motifs orientaux et parfois aussi préfigurer le Jugendstil suivant.

◆ CHAISE. Incontestablement l'élément le plus caractéristique du style, elle a les pieds droits ou légèrement en sabre, au début de section carrée, ensuite tournés. Il existe une large gamme de dossiers, étroits à la base et s'élargissant en haut en éventail et en feuille, à double volute (*voir* figure) ; pleins ou ajourés, ils sont ornés de motifs sculptés. Le siège, toujours rembourré, a un aspect plutôt rigide. A partir de 1840 commencent à apparaître – avant de devenir en quelques années le type le plus répandu – les chaises dessinées par Thonet, de ligne simple, en bois ployé à la vapeur, et dont le siège est généralement en paille de Vienne.

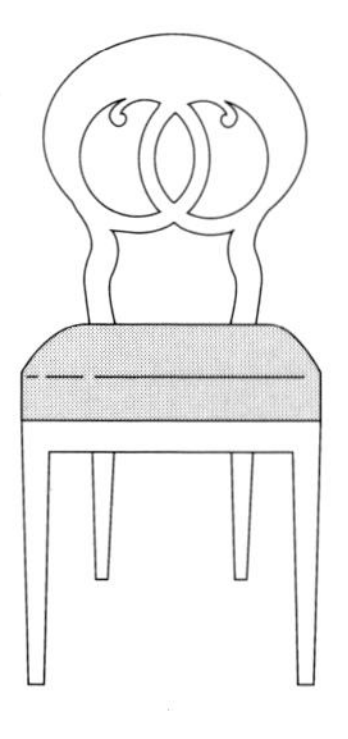

Meuble à deux corps. *Plaqué en racine de noyer avec des filetages d'érable, ce meuble autrichien comporte une partie inférieure fermée par deux vantaux surmontés d'un tiroir, tandis que le corps supérieur est une vitrine ornée d'un motif à cage. Les pieds sont carrés, avec les raccordements évasés ; la corniche forme légèrement saillie.*

Geyer, habile exécutant de meubles en acajou, à Magonza Johann Wolfgang Knussmann, Wilhelm Kimbel et Philipp Anton Bembé, dont la fabrique fonctionne toujours. L'œuvre de Michael Thonet, dont l'esprit créateur s'affirmera après 1840, mais naît et se développe dans le cadre du Biedermeier, mérite une mention à part : sa production de meubles en hêtre lamellé ployé à la vapeur – notamment des chaises, fauteuils, porte-parapluies, sofas, lits et toilettes – devient rapidement très célèbre et se propage dans le monde entier ; le goût très affirmé de la ligne courbe et l'expérimentalisme formel à la base de son activité portent nettement la marque Biedermeier. La chaise la plus fameuse dessinée par Thonet, la n° 14, n'est composée que de six pièces assemblées par quelques vis ; jusqu'en 1911, il a été produit de ce célèbre modèle plus de 50 millions d'exemplaires.

◆ SECRÉTAIRE. Il conserve la même structure qu'au XVIIIe siècle : un meuble à tiroirs et un panneau rabattable servant de table à écrire ; mais son utilisation et son aspect sont modifiés. Le *Sekretär* devient un meuble de salon (on préfère le bureau plus fonctionnel dans la pièce servant de bureau), tandis que l'esthétique change avec l'adoption d'éléments décoratifs très semblables dans le modèle « en lyre » comme dans celui, architectural, à tympans et colonnes d'angle, soulignés par l'emploi d'essences de teintes diverses.

◆ TABLE. La table la plus courante est ronde ou ovale, à un ou deux supports reposant sur une base de dimension modeste, parfois sculptée. Comme cela est caractéristique du Biedermeier, on préfère aussi pour ce meuble la solidité et une élégance simple : le bois est clair, rehaussé de décorations (pilastres et palmettes) mises en valeur par des tons plus foncés, jusqu'au noir d'ébène. Mais on rencontre également des modèles de structure plus compliquée, comme certaines tables à plateau ovale et rallonges rabattables supportées par deux pieds reliés (*voir* figure).

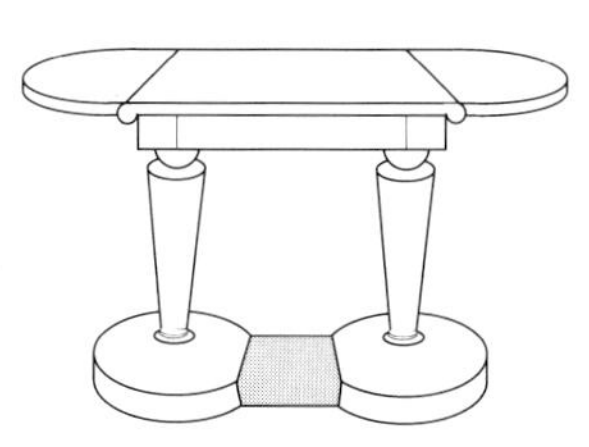

◆ LIT. Le lit bateau est très répandu dans une version moins massive, avec les deux chevets à égale hauteur, un profil légèrement arqué en col de cygne ; le flanc est de ligne plus légère.

LOUIS-PHILIPPE et SECOND EMPIRE
(1830-1870)

◆ L'influence de Louis-Philippe (qui règne de 1830 à 1870) sur le style auquel il a donné son nom est pour ainsi dire nulle. On connaît la passion du souverain pour les meubles marquetés Boulle, qu'il collectionne et fait copier, tandis que dans ses résidences, des Tuileries à Fontainebleau, le mobilier reste d'époque Napoléon. La rapide transformation du goût affectant le mobilier et le style de vie, qui se manifeste dans la première moitié du XIXe siècle en France, mais aussi dans le reste de l'Europe, est le fruit d'une part de l'esprit romantique naissant, avec un retour à l'Histoire plus sentimental que formel et esthétique, et d'autre part de l'industrialisation de très nombreux secteurs de production et, notamment, celui des meubles.

Le triomphe de l'éclectisme

Le retour aux styles du passé, principalement Gothique et Renaissance, mais aussi Baroque, Louis XV et Louis XVI, constitue le trait dominant du Louis-Philippe, mais davantage encore du Second Empire suivant. Ce profond éclectisme, commun à toute la culture européenne de l'époque, produit de rares nouveautés dans le domaine du mobilier, car les types et ornements des meubles ne sont souvent que des versions intégrales de modèles plus anciens ; mais les lignes s'alourdissent, les décors sont surchargés, les proportions deviennent moins élégantes. Aux bois clairs en faveur sous la Restauration sont juxtaposées d'autres essences, également de teinte foncée. On emploie donc l'acajou, l'ébène, le houx, le palissandre, le chêne, le frêne et l'amarante. La préférence pour les bois sombres tend à inverser le rapport typique des décors foncés sur fonds clairs en vogue à l'époque précédente, surtout dans le Biedermeier. Les applications en bronze doré diminuent, désormais utilisées uniquement si le style que l'on veut reproduire l'exige, comme dans le Louis XV ou le Louis XVI. Les marqueteries reprennent également les motifs typiques précédents, mais leur composition, les décors sculptés et autres ornements sont souvent froids, dépourvus de fraîcheur et de sensibilité, car ces meubles sont fabriqués pour la plupart à la machine et non plus à la main. Les pieds, traverses et éléments verticaux tournés se répandent, tandis qu'apparaissent les pinacles gothiques. Tables, chaises,

Ci-contre. Table. *Inspirée des formes baroques, plaquée en palissandre et marquetée de bois divers, d'émaux, d'ivoire et de nacre, elle présente un support central sculpté en amphore, avec des raccordements en volute de végétaux.*

Ci-dessous. Étagère. *Exécutée en 1839 par Jacob-Desmalter, ce petit meuble en racine de frêne témoigne du goût du grand ébéniste pour le Louis-Philippe. Les montants tournés et les flancs repercés sont de style néo-baroque, la bande supérieure rehaussée d'applications en bronze est encore inspirée de motifs néo-classiques.*

En bas. Chaise « à la cathédrale ». *Exécutée vers 1840, cette chaise de style néo-gothique présente un dossier ajouré, couronné par des pinacles et des flèches, inspiré des décors des cathédrales gothiques.*

étagères, armoires, canapés s'arrondissent, adoucissant les angles et accentuant l'opulente luxuriance des formes, souvent agrémentées d'étoffes, de franges, de garnitures et d'ornements variés.
Les chaises offrent une profusion de formes et de modèles : les plus courantes ont un dossier plein ou ajouré d'arcatures, d'éléments verticaux tournés ou de croisillons. Le dossier peut aussi être droit ou en gondole ; la traverse supérieure est souvent découpée pour former une prise de main et faciliter ainsi le déplacement du siège. Les pieds avant sont tournés en spirale, en balustre, ou galbés avec « cuisses de grenouille » et raccordés dans la partie médiane ; les pieds arrière sont droits ou bien en sabre.
Très en vogue sous le style Louis-Philippe, la « fumeuse » est une chaise basse dérivée de la « voyeuse » du XVIIIe siècle.
Les fauteuils, témoignant du goût prononcé pour le confort, sont rembourrés selon la nouvelle technique du capitonnage, recouverts de velours ou de soie, à décor floral ou à plis, et ourlés de franges ; le dossier est droit et les pieds, plutôt bas, sont souvent garnis de roulettes.
Le Voltaire constitue l'un des modèles les plus répandus.
La psyché, très en vogue durant l'Empire, est remplacée par l'armoire munie de portes en miroir : les surfaces s'enrichissent de corniches et de moulurations.
Une série de meubles de rangement très pratiques se répandent, comme l'étagère et le buffet, exécutés dans des bois divers et affectant des formes souvent dérivées d'un mélange de styles totalement différents. La table la plus typique est la table de salle à manger, avec un plateau comportant souvent deux abattants ronds et surmontant une large ceinture garnie de rangées de tiroirs ; les pieds sont tournés en balustre ou à bobines ; un type très en vogue est la « table de famille »,

Secrétaire. *Exécuté entre 1860 et 1870 par l'ébéniste Piret et inspiré des meubles de Riesener, il reprend les formes du Louis XVI, très en faveur sous le Second Empire. La forme du médaillon central, la plaque et les colonnettes latérales attestent qu'il ne s'agit pas d'une copie, mais d'une réélaboration du XIXe siècle.*

soutenue par un support central unique et des pieds sculptés. La console, typique meuble d'applique, n'est plus conforme au goût de l'époque et tend à disparaître. Le lit bateau est toujours très en faveur, en palissandre ou en acajou, avec de nombreuses références stylistiques, du Gothique à l'Empire.

Les derniers grands ébénistes

Même si la grande tradition des ébénistes français est sur son déclin, en raison de la disparition des riches acquéreurs des époques précédentes et de la naissance des meubles en série, moins coûteux et donc accessibles aux classes moyennes, quelques maîtres artisans réussissent encore à produire des spécimens excellents. Rappelons notamment : Alphonse Jacob-Desmalter, qui continue l'œuvre et la tradition familiales jusqu'en 1847, lorsque, déçu par la baisse de qualité due à la machine, il se retire en cédant son atelier ; Alexandre-Louis Bellangé qui, nommé ébéniste par le roi, produit des meubles tantôt façon Boulle, tantôt ornés de plaques de porcelaine ; Louis-Édouard Lemarchand, héritier lui aussi d'un atelier prestigieux ; enfin, les frères Jean-Michel et Guillaume Grohé, d'origine allemande, qui, grâce à leurs meubles de style Gothique et Renaissance, deviennent bientôt les meilleurs ébénistes, tant du Louis-Philippe que du Second Empire.

Le règne de Napoléon III

Élu président de la République en 1848 et devenu empereur en 1852, Napoléon III domine la période durant laquelle se développe le style du Second Empire, qui s'achèvera officiellement en 1870 par son abdication. Le Second Empire porte alors à ses ultimes conséquences l'éclectisme qui était déjà présent sous Louis-Philippe. L'esprit « antiquaire » conduit à la

Ci-dessous. Commode. *Inspirée du Louis XVI, elle est en placage d'acajou, rehaussé d'applications en bronze doré à motifs végétaux et médaillons en relief ; le bandeau central dissimule trois tiroirs.*

En bas. Buffet. *Exécuté façon Boulle, il est en bois façon ébène marqueté de laiton, et en bois fruitiers, rehaussés d'applications en bronze doré. Les angles sont agrémentés de pilastres et de putti.*

production de pastiches purs et simples : un phénomène résultant du goût marqué pour les meubles imitant le plus fidèlement possible les originaux, si bien qu'à l'heure actuelle, des imitations peuvent être vendues en contrebande et abuser les plus avertis. La confusion et la superposition des styles donnent lieu, en outre, à une production singulière et très paradoxale, souvent à la limite du mauvais goût. La liste des styles redevenus à la mode au cours de cette période est longue : le Gothique et le Renaissance, avec des meubles en bois foncé de structure massive, généralement incrustés de nacre avec d'évidentes références architecturales (lors du « revival » de la Renaissance, les meubles Henri II, du nom du roi de France fils de François Ier, sont très prisés et répandus) ; le Louis XIV, avec une prédilection pour les somptueuses marqueteries façon Boulle ; le Louis XV, avec le retour aux décors rococo les plus débridés ; enfin le Louis XVI, très apprécié de l'impératrice Eugénie, avec une préférence marquée pour les meubles inspirés de Riesener. A ces manifestations

Console. *Œuvre de l'ébéniste Bertaud, cette console en acajou, datée de 1860, est de ligne inspirée du Louis XVI, mais la sculpture possède la plasticité des formes baroques.*

Le goût du rembourrage

A l'époque des sièges, des fauteuils et des canapés, exécutés dans des formes nouvelles et compliquées, deux éléments interviennent pour modifier tant la structure que l'aspect des meubles rembourrés : le capitonnage et les ressorts. Le ressort à spirale, déjà employé précédemment, est considéré dans les années 1830 comme une véritable innovation technique, offrant une élasticité beaucoup plus confortable que le classique rembourrage en crin plein. De même, le capitonnage – qui consiste à retenir la partie matelassée par de petits tampons de capitons ou des boutons – est une technique s'apparentant à celle qui, au XVIIIe siècle, utilisait à cette fin de petites houppes de fil léger. Par rapport à ce procédé, le capitonnage offre une plus grande résistance et influe sur l'esthétique du meuble ; le piquetage des boutons sur toute la surface dessine, en effet, des carrés, des losanges, ou des motifs plus compliqués, plus ou moins apparents selon la pression exercée sur le tissu. On obtient le plus bel effet en utilisant des boutons et des capitons de couleur différente et contrastant avec la tapisserie. La vogue du capitonnage est véritablement immense, et la technique déferle dès 1840.

principales d'un style « sans style », on peut ajouter un retour aux chinoiseries, avec la réapparition des meubles laqués, et un bref engouement pour le style mauresque et pour le néo-pompéien, qui se sont développés dans la dernière décennie du règne de Napoléon III.

Le Second Empire

On ne peut affirmer pour autant que le Second Empire n'a rien exprimé de nouveau. En raison de l'importance particulière accordée au salon, il est par excellence l'époque des sièges, canapés, fauteuils et chaises qui en constituent

◆ FAUTEUIL. La gamme de sièges est extrêmement vaste, avec des modèles souvent originaux. Ainsi, le fauteuil crapaud (*voir* figure) de 1840, large et bien capitonné, et le Voltaire à dossier enveloppant, accotoirs courts et siège profond. pendant le Second Empire, les références aux modèles Louis XV sont nombreuses.

◆ ÉTAGÈRE. Formée d'une série de rayonnages soutenus par deux montants, elle peut être autonome (suspendue, murale ou, plus rarement, posée sur le sol) ou faire partie d'un autre meuble (comme l'étagère d'encoignure, à plan triangulaire), ou encore constituer le corps supérieur d'un buffet desserte. Son équivalent anglais est le *whatnot*.

Indiscret. *Ce petit canapé est composé de trois fauteuils accolés et inversés, et ressemble au confident, mais ce dernier possède un siège de moins ; les pieds sont garnis de roulettes.*

l'ameublement principal. On assiste à une profusion de nouveaux types : l'« indiscret », siège à trois fauteuils à la forme curieuse en hélice ; le « confident », à deux fauteuils accolés et inversés ; le pouf, petit siège produit en de nombreuses versions, également très curieuses, comme les modèles à pieds imitant la corde ou figurant des nègres accroupis ; enfin, la « borne », ou « milieu de salon », placée comme son deuxième nom l'indique au centre du salon, à la forme circulaire caractéristique : son dossier est aménagé de façon à abriter une lampe ou encore une composition florale.
Le confort de ces canapés est favorisé par les nouvelles techniques de rembourrage, qui s'affirment nettement au cours de ces années, tels

◆ Borne. Appelée également canapé rond ou milieu de salon, c'est un canapé rond ou ovale dont le dossier central affecte une forme tronconique. Les premiers exemplaires apparaissent vers 1820, mais ce meuble connaît une vogue particulière durant le Second Empire. Les sièges, capitonnés, peuvent parfois être séparés par des accotoirs, mais forment normalement un plan unique pour s'asseoir.

◆ Indiscret. L'un des meubles les plus originaux du Second Empire, c'est un canapé composé de trois fauteuils réunis par la traverse supérieure sinueuse du dossier en forme d'hélice à trois pales. Le bâti en bois est dissimulé par un confortable capitonnage et recouvert de tissus précieux.

◆ Fumeuse. Dérivée de la « voyeuse », on s'assoit dessus à cheval ; elle a, en effet, un siège long et étroit et un dossier bas muni d'une large traverse rembourrée pour appuyer les genoux. Dans ce cas, la traverse dissimule une boîte avec tout le nécessaire pour fumer. Répandue pendant

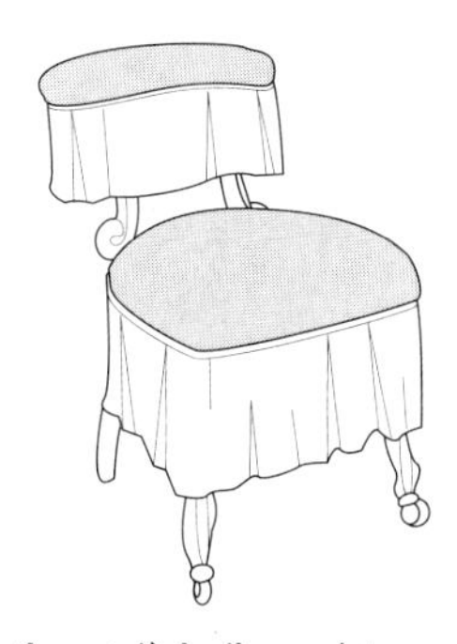

tout le XIXe siècle, il en existe aussi une variante dite « à double dossier », pourvue d'un autre dossier bas du côté opposé.

l'usage des ressorts et le capitonnage. La liste des matériaux employés dans la fabrication des meubles est d'une extrême variété, allant des bois traditionnels comme l'acajou, l'ébène, le chêne, le noyer, le rotin et le bambou – souvent simulé en sculptant le bois –, à la fonte, au fer et aussi à d'autres métaux. On peut citer, parmi les plus grands ébénistes du Second Empire, les frères Guillaume et aussi Jean-Michel Grohé, excellents exécutants de nombreux styles variés ; Henri Léonard Wassmuss, spécialisé dans les imitations de Boulle et de Riesener ; Louis-Auguste-Alfred Beurdeley, maître dans les copies de meubles célèbres du XVIIIe siècle, exécutées en peu d'exemplaires, mais d'un extrême raffinement ; enfin, l'atelier d'Alexandre-Louis Bellangé, particulièrement réputé pour ses meubles marquetés, réalisés à la manière de Boulle.

ALPHONSE JACOB-DESMALTER (1799-1870)
Dernier héritier des Jacob – en 1847, il cédera l'entreprise à l'ébéniste Jeanselme –, il maintient la qualité de la production de la firme (par exemple dans le mobilier qu'il exécute pour la duchesse du Berry), mais sans jamais atteindre l'excellence des premiers titulaires.

JOSEPH-PIERRE-FRANÇOIS JEANSELME (?-1860)
Il dirige l'un des plus importants ateliers d'ébénisterie de l'époque, spécialisé dans les chaises et fauteuils, exécutés dans les styles Louis XVI et Henri II. En 1847, il acquiert l'atelier de Jacob-Desmalter, parvenant à employer en quelques années plus de trois cents ouvriers.

ALEXANDRE-LOUIS BELLANGÉ (1799-1863)
A partir de 1827, il est à la tête de deux ateliers, hérités l'un de son père et l'autre de son oncle, dont il maintient les diverses spécialisations (l'un est connu pour l'usage du bois naturel, l'autre pour les applications en porcelaine) ; il produit principalement des meubles dans le style Louis XV.

LOUIS-ÉDOUARD LEMARCHAND (1795-1872)
Il travaille beaucoup pour Louis-Philippe – au Trianon, à Saint-Cloud, aux Tuileries –, dessinant également les meubles qu'il produit et qui présentent des juxtapositions de bois clairs et d'acajou. Son œuvre la plus célèbre est le cercueil en ébène réalisé pour le transfert, en 1840, de la dépouille de Napoléon.

GUILLAUME GROHÉ (1808-1885)
En 1827, il quitte l'Allemagne et vient à Paris avec son frère Jean-Michel ; il s'impose à l'Exposition de 1834 comme l'un des meilleurs fabricants de meubles dans de nombreux styles, empruntés aux modèles du XVIIIe siècle. Il est actif jusque vers 1860.

◆ POUF. Vers le milieu du XIXe siècle se répand ce petit siège bas et rond, toujours rembourré et revêtu de tissu ou de cuir. A la différence des autres types de tabourets, il est entièrement capitonné et orné d'un volant, de drapés élaborés, ou de franges et passementeries de types divers tombant jusqu'à terre pour cacher la menuiserie. Lorsque le bois est apparent, il peut alors simuler des cordages noués (*voir* figure), ou bien encore être sculpté de nègres accroupis, modèle calqué sur le type des guéridons du XVIIIe siècle.

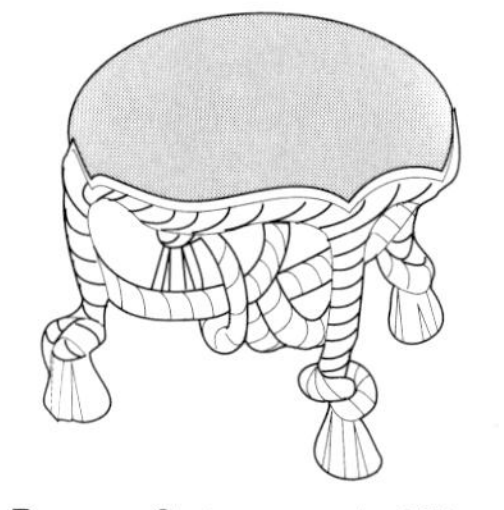

◆ BUFFET. Ce terme qui, déjà au XVIe siècle, désignait divers types de meubles ouverts devient, au XIXe siècle, synonyme de crédence. Très répandu, il se présente comme un meuble à deux corps, avec une base à deux étagères pour la vaisselle et une partie supérieure – parfois seulement une glace – généralement constituée par une vitrine. Des exemplaires plus simples ont une base unique et une étagère à bordure haute (*voir* figure).

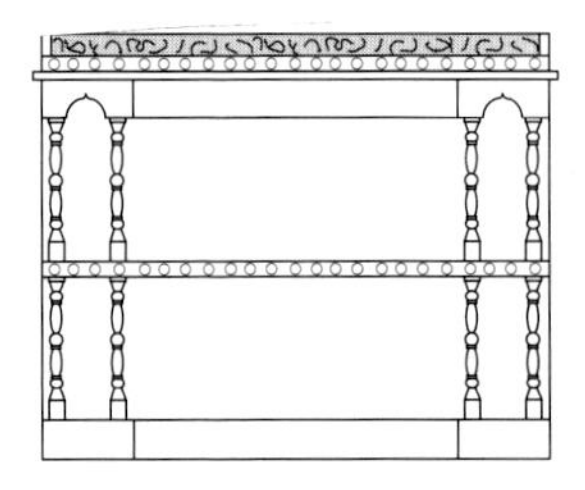

CARACTÉRISTIQUES DU LOUIS-PHILIPPE ET DU SECOND EMPIRE

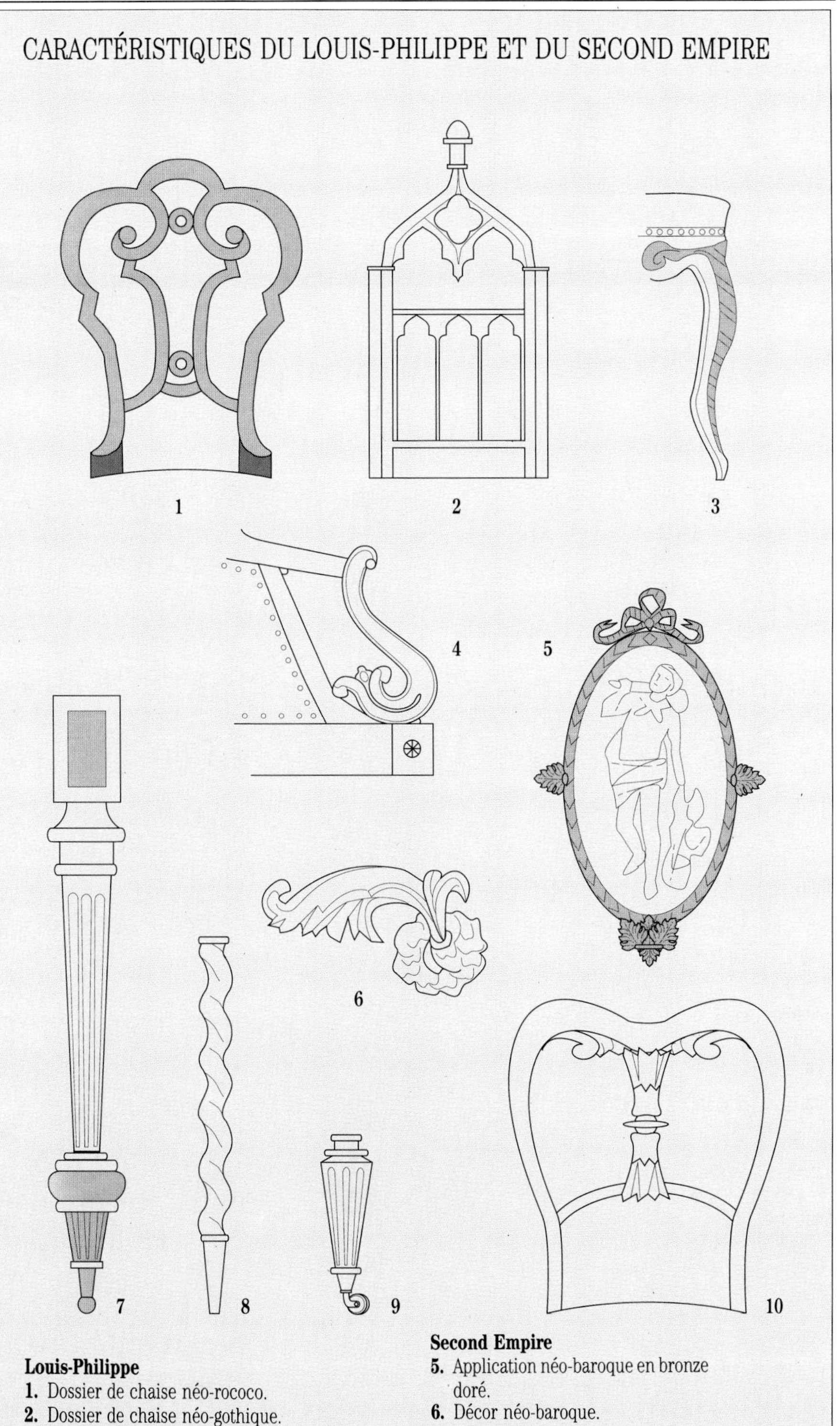

Louis-Philippe

1. Dossier de chaise néo-rococo.
2. Dossier de chaise néo-gothique.
3. Pied de chaise.
4. Accotoir de fauteuil.

Second Empire

5. Application néo-baroque en bronze doré.
6. Décor néo-baroque.
7. Pied de table façon Louis XVI.
8. Pied de chaise.
9. Pied de fauteuil.
10. Dossier de chaise.

HISTORISME et ÉCLECTISME
(seconde moitié du XIXe siècle)

◆ L'imitation des styles du passé, déjà manifeste au cours du XVIIIe siècle, atteint après 1830 une intensité et une diffusion telles qu'elle en vient à constituer un style en soi. Le phénomène, qui concerne l'ensemble du monde occidental, revêt des noms et connaît des développements différents – même si la méthode et l'attitude culturelles sont les mêmes – selon les pays où il s'exprime. En France, il prend le nom du roi Louis-Philippe et, plus encore, du Second Empire suivant de Napoléon III ; en Espagne, il est défini style Isabellino, du nom de la reine Isabelle II ; en Angleterre, il coïncide avec la période victorienne, qui accueille de nombreux courants stylistique très différents ; en Allemagne et en Autriche, on l'appelle Historisme ; en Italie, enfin, il prend également le nom d'Éclectisme.

L'Historisme et les « néo-styles »

Le Néo-Rococo, suivant l'exemple français, figure parmi les tout premiers « néo-styles » à être repris dans les pays de langue allemande. Il est particulièrement apprécié à Vienne, où il exprime une grâce toute féminine, faite de petits éléments décoratifs inondant pieds, dossiers, accotoirs, couronnements, traverses, plateaux des meubles. Le Néo-Rococo apparaît toutefois très éloigné du style dont il s'inspire, en raison d'un désintérêt évident pour la forme et pour la lourdeur, typiquement XIXe siècle, des lignes des meubles, axées davantage sur le confort et l'élégance. Les capricieux motifs rococo – guirlandes, coquilles, festons, branchages fleuris – apparaissent sculptés dans le bois ou appliqués sous forme de bronze doré et de plaques de porcelaine. Les chaises, les fauteuils et les canapés sont dorés ou en bois naturel, et souvent recouverts

Page ci-contre. Cabinet. *Inspiré des fastueux modèles baroques, ce meuble à deux corps provenant de l'Italie du Nord, plaqué d'ébène avec des panneaux de lapis-lazuli et de marbre rouge, présente une structure architecturale sévère. Les niches de la partie supérieure abritent des figures allégoriques en bronze doré.*

Ci-dessous. Secrétaire. *Provenant d'Autriche, ce secrétaire à abattant en placage de cerisier offre un exemple plutôt modéré de l'Historicisme. Le corps supérieur à tympan, les colonnettes corinthiennes, le décor à arcatures en ronde bosse sont inspirés de l'architecture classique.*

de tissus sur lesquels sont repris des décors floraux XVIIIe siècle. Les styles néo-gothique et néo-renaissance sont, en revanche, beaucoup plus proches de l'esprit allemand. Le premier se répand vers 1837, grâce à un recueil de dessins de meubles édité à Nuremberg par Carl A. Heideloff ; la « nouvelle Renaissance » s'affirme dans la seconde moitié du siècle. Ces deux néo-styles ont en commun l'imitation des éléments décoratifs et structuraux des architectures gothique et Renaissance, plus que des formes des meubles de l'époque. On assiste ainsi à une prolifération de flèches, arcs en ogive, motifs géminés et trilobés, rosaces, et ensuite travées, colonnes, niches, corniches, tympans, figures en ronde bosse. Ne manquent pas non plus les réélaborations baroques qui, notamment aux Pays-Bas, reprennent les techniques de la marqueterie à décor floral, animalier ou géométrique, les incrustations et marqueteries d'éléments métalliques sur bois foncé Boulle et le tournage caractéristique en bobine, en spirale et en balustre des éléments verticaux – pieds, accotoirs et dossiers.

Les influences orientales et mauresques

La France donne le ton, et l'on voit s'affirmer à nouveau des meubles d'inspiration orientale – cette fois, c'est le Japon qui est à la mode –, exécutés souvent en bambou, des sujets de style mauresque et de petits meubles, généralement des tabourets, guéridons ou meubles de rangement, réalisés en rotin, simulant des tresses et des cordages noués. Un type de meuble rustique, tout particulièrement curieux, dont la structure imite une branche noueuse, est d'origine anglaise. Ces meubles, qui se répandent pendant toute la seconde moitié du XIXe siècle,

Ci-dessous. Chaise. *Exemple de l'éclectisme des styles, cette chaise de la région de Naples (vers 1870), de forme inspirée du style Empire, est ornée de motifs peints dans le goût pompéien et néo-classique.*

En bas. Table. *Réalisée à Vienne par la firme Leistler, cette table néo-baroque présente un plateau en marqueterie et un support constitué d'éléments courbes entrecroisés en hêtre.*

sont à usage intérieur ou extérieur et produits en bois, mais seront aussi réalisés dans de nouveaux matériaux comme la fonte et le fer. Parmi les ébénistes les plus importants figure, à Vienne, Michael Thonet ; après avoir dépassé la phase initiale encore liée au Biedermeier, il réussit à imposer une production de meubles en bois ployé, qui sera abondamment copiée et le rendra ainsi célèbre dans le monde entier. A Munich œuvre F.X. Fortner, à qui revient le mérite d'avoir rassemblé autour de lui un groupe d'architectes et de designers pour la production de ses meubles. Enfin, Carl Leistler, associé de Thonet et spécialisé dans la production de mobilier néo-rococo et néo-gothique, est considéré comme l'un des plus éminents tenants de l'Historicisme en raison de la finesse de ses interprétations stylistiques.

La prolifération des expositions

L'industrialisation croissante oblige de nombreux artisans à mécaniser les cycles du travail pour faire face aux demandes de nouveaux acheteurs et aux lois du marché. Toutefois, et c'est là une caractéristique de la seconde moitié du XIXe siècle, des tentatives sont faites dans toute l'Europe pour relancer la figure de l'artisan, grâce à des incitations de toutes sortes, en ouvrant par exemple des musées consacrés aux produits de l'artisanat, en instituant des écoles d'arts et de métiers. En même temps, la multiplication des expositions contribue aussi à stimuler l'invention et l'imagination de milliers d'ébénistes, qui se prévalent largement dans leurs catalogues des prix obtenus. Cette course frénétique aux expositions conduit toutefois à une banalisation de la production, car les modèles les plus admirés sont souvent aussitôt copiés, saturant le marché.

L'Éclectisme italien

Le mobilier italien, dans les deux derniers tiers du XIXe siècle, diffère peu de celui des autres pays d'Europe. La récupération des styles du passé – appelée ici Éclectisme – naît, d'une part, de l'abandon, dans la période qui suit la Restauration, des fastes rigides du style Empire en faveur de lignes plus adoucies et de décors résolument plus frivoles qui conduisent alors à un « revival » du Baroque ou du Rococo, comme c'est le cas dans la France de Louis-Philippe, d'autre part, de l'affirmation de l'esprit romantique et de la découverte qui s'ensuit du monde médiéval (à l'exemple du courant néo-gothique anglais) et de la Renaissance. Le Néo-Rococo, et ensuite le Néo-Baroque, trouvent à Rome et à Naples un terrain fertile qui reprend les riches expériences locales. En Vénétie, la grande tradition XVIIIe siècle du bois sculpté se réveille, dont Giacomo Missio et Domenico Givanno sont de remarquables exécutants. En Toscane, on assiste à un mélange de motifs Renaissance et de courbes néo-rococo, qui confère à l'ensemble un aspect plus contrôlé.

Les grands fabricants de meubles

C'est en Toscane que, grâce à l'œuvre des fabricants siennois Antonio Manetti et Angiolo Barbetti, naît le style nommé Néo-Renaissance : il deviendra le style officiel italien, avec, dans le dernier quart du siècle,

CARL LEISTLER
(1805-1857)
Important ébéniste de Vienne, il a créé les intérieurs de style néo-rococo du palais Liechtenstein. Mais il a réalisé des versions personnelles du Néo-Gothique, d'une richesse et d'une complexité de dessin

FERDINANDO POGLIANI
(1832-1899)
Personnalité de premier plan, il s'illustre avec ses trois fils, Giuseppe, Paolo et Carlo, par une production de style néo-Renaissance empruntant les motifs décoratifs du monde gréco-romain, qui obtiennent un grand succès dans de très nombreuses expositions qui sont organisées dans le monde entier.

CARLO BUGATTI
(1855-1940)
L'un des designers et fabricants de meubles les plus intéressants de la période de l'Éclectisme. Le premier prix qu'il remporte à l'Exposition de Turin de 1902 consacre son style personnel et unique, la remarquable qualité de ses meubles, caractérisés par la présence d'éléments orientaux, de matériaux divers, de formes originales, et toujours réalisés avec un extraordinaire esprit d'invention.

Guéridon. *En noyer noirci comme l'ébène, il est marqueté de motifs végétaux et ornementaux en nacre et en essences diverses. Le pied central en balustre repose sur une base polygonale. Le plateau est octogonal, avec médaillon central.*

Fauteuil. *Œuvre typique de Bugatti, exécutée vers 1900, ce fauteuil est revêtu en partie de parchemin et inspiré d'un exotisme purement mauresque.*

sous le règne d'Umberto Ier, le Néo-Baroque, précisément connu sous la dénomination d'Umbertino. Tout au début de la seconde moitié du siècle, les styles se mélangent et se superposent. Suivant l'exemple français, on revient au Néo-Classicisme du Louis XVI ; tandis que les laques chinoises et japonaises connaissent un regain de faveur avec les typiques figures et paysages orientaux, le style

Le meuble authentique et la copie

Si le goût du beau meuble d'époque a toujours existé, l'Historicisme en fait pourtant un style à part entière. Il ne s'agit pas, toutefois, de faux à proprement parler ; d'abord parce qu'on ne cherche pas à les faire passer pour des originaux, ensuite parce qu'ils présentent des différences. Tout d'abord, les dimensions : les meubles du XIXe siècle, destinés à des espaces restreints, sont de ce fait plus petits ; ils sont, en outre, plus bas et plus fonctionnels. De même, il n'est pas rare de voir la personnalité de l'artisan s'exprimer par des variantes, par exemple en insérant des éléments Renaissance dans un meuble gothique, absents de la pièce d'époque. Il en va tout autrement, bien entendu, des copies pures et simples, généralement exécutées pour compléter des séries, dans lesquelles le plus grand soin est apporté à la reproduction fidèle du modèle : qualité des bois utilisés, décorations (réappliquées sur celles déjà existantes), incrustations. Dans ces cas également, des éléments comme les clous (de production industrielle et non faits à la main), l'épaisseur du placage (une épaisseur trop uniforme trahit l'origine industrielle) ou, enfin, le type d'emboîtage, permettent presque toujours d'identifier la pièce plus récente. Plus complexe est le cas des meubles retardataires, c'est-à-dire exécutés dans la période suivant l'épuisement d'un style, mais qui survit encore en province ou dans certaines régions très conservatrices. Il ne s'agit donc pas de faux ou de copies, mais d'expressions d'une culture qui ne se renouvelle pas ou tarde à se renouveler. Il peut être également difficile de reconnaître un meuble authentique d'un autre retardataire, si le retard s'étend sur quelques dizaines d'années.

◆ PORTE-PARTITIONS. Petit meuble présentant une partie inférieure fermée, destinée à contenir les partitions et cahiers musicaux, et une galerie supérieure en balustre. Il se compose de colonnettes tournées, de panneaux latéraux de ligne convexe et d'un décor sculpté en forme de lyre rappelant la fonction du meuble.

◆ CHAISE LÉGÈRE. Élégante chaise d'une grande finesse de ligne, composée d'éléments en bois, assez minces. Le modèle le plus connu, dit « chaise à l'hollandaise » en raison de sa décoration à fleurs, est laqué de noir et doré. Les motifs ornementaux sont constitués principalement d'incrustations de nacre ; le dossier est à bandes ou ajouré, le siège peut être rembourré ou en bandes de toile croisées. En Italie, s'apparentant à ce type de siège, on trouve la chaise Chiavari, généralement dorée ou laquée.

◆ MEUBLES DE JARDIN. Il s'agit d'une catégorie assez vaste de tables, chaises, fauteuils à bascule, sofas, réalisés en jonc ou en métal (fer forgé ou fonte). Ces derniers, notamment, de style néo-roman ou néo-gothique, présentent des formes originales, à motifs de grille, de volutes, et une structure en forme de branche noueuse (*voir* figure) ; ils sont peints en blanc ou en vert, et les sièges sont garnis de coussins.

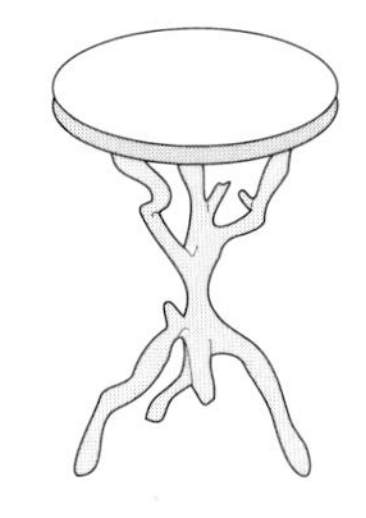

Guéridon. *Réalisé à Florence par l'atelier des frères Falcini, ce petit meuble marqueté d'essences variées, d'ivoire et de nacre, à décor floral et autre, dissimule une série de tiroirs, d'évidements et de casiers actionnés à l'aide d'un mécanisme.*

mauresque redevient à la mode ; le passé retrouve aussi la faveur avec les styles néo-étrusque et néo-pompéien ; enfin, on assiste au grand renouveau du Gothique, mais pourtant moins accusé que dans les premières décennies du siècle. Ludovico Pogliaghi et la famille Pogliani s'attirent une grande célébrité pour leurs productions « nouvelle Renaissance » ; les frères Fabio et Alberto Fabbi sont appréciés pour leurs meubles et décorations inspirés de l'Égypte ancienne ; l'ébéniste Carlo Zen commence à produire des meubles néo-gothiques et néo-Renaissance, auxquels il associe des pièces de nette inspiration florale. D'autres ébénistes méritent d'être mentionnés : le sculpteur vénitien Valentino Panciera, dit Besarel, le Siennois Pasquale Leoncini, autre sculpteur de talent, les frères florentins Falcini, très connus pour la remarquable qualité de leurs meubles marquetés, le Crémonais Paolo Moschini, enfin, les Siciliens Salvatore Valenti et Salvatore Coco. Carlo Bugatti produit des meubles particulièrement intéressants, inspirés d'un exotisme qui n'est jamais maniéré, mais réinventé avec une imagination débordante. On retiendra ses meubles en « anse de coupe » avec des incrustations de nacre, et ceux qu'il présenta à l'Exposition de Turin de 1902, avec les chaises en forme de G et la table dont la base est superbement dessinée en volutes.

◆ Étagère Garde-Robe. Meuble original produit dans la seconde moitié du XIXe siècle. Faisant office de garde-robe, il est composé de plusieurs rangées d'étagères découpées, divisées en plusieurs parties concaves, servant à mettre chapeaux, manteaux de demi-saison, etc. Il trouve généralement sa place dans les antichambres ou les pièces de service des salons.

◆ Lit. A côté de la forme traditionnelle du lit bateau – le côté long adossé au mur – et du type classique de lit à chevet imposant apparaissent divers modèles de lits en fer forgé (*voir* figure). En Italie, les exemplaires ligures et toscans se distinguent par leur dessin très élaboré, avec le chevet souvent orné de grands médaillons et de scènes peintes. Le bâti des lits en fer forgé est doré ou peint. A Naples et en Sicile, la mode est aux lits en laiton à chevet décoré de pommes en pierres de couleur.

STYLE VICTORIEN

(seconde moitié du XIXe siècle)

◆ Sur le plan stylistique, la période dominée par le long règne de la reine Victoria (1837-1901) apparaît complexe (un phénomène commun à d'autres pays européens marqués par l'Historicisme) ; mais, en même temps, plus riche que d'autres en ferments originaux qui ont contribué à la naissance du mobilier moderne. On peut diviser la période victorienne en deux parties, dont le point de fracture est représenté par l'Exposition de Londres de 1851, au Crystal Palace, qui marque l'avènement d'un renouveau, à certains égards radical, des tendances en cours. Au début du Victorien, le Regency, encore dominant, est en cours de totale transformation ; ainsi les rembourrages se gonflent, les lignes s'incurvent et les ornements se font plus luxueux et apparents, donnant lieu, suivant l'exemple français, à un retour à certains styles du passé tels le Baroque et le Rococo. Cependant, le goût éclectique ne se borne pas à une réutilisation cohérente. D'autres styles, en effet, redeviennent à la mode : le Gothique, le style Renaissance italienne, l'Élisabéthain, le Jacobean sous Jacques Ier (1603-1625), le Queen Anne ; tandis qu'un mélange de plusieurs de ces styles peut apparaître dans une seule et même pièce et que les proportions des meubles et des décors sont souvent modifiées...

Les artisans continuent à produire des meubles de qualité, mais sont confrontés à la concurrence impitoyable de l'industrie naissante ; les machines-outils et les toutes nouvelles techniques permettent de faire des choses jadis impensables, tandis que des matériaux nouveaux se répandent, tels que l'acier, la fonte et le papier mâché. Bien que brevetée en Angleterre en 1772, la technique du papier

Page ci-contre. Bibliothèque. *De style néo-Renaissance, elle présente une structure architecturale avec des décors sculptés et deux panneaux peints. Le détail montre l'un de ces derniers.*

Ci-dessous. Toilette. *Exécuté vers le milieu du XIXe siècle, ce meuble en papier mâché est décoré de motifs floraux sur fond noir, et rehaussé d'incrustations de nacre.*

mâché, ou carton pressé, est popularisée au début des années 1930 par les meubles de la firme Jennens et Bettridge. Dossiers de sièges, chevets de lits, panneaux, guéridons, petits meubles de rangement, généralement peints de couleurs foncées et décorés de fleurs, guirlandes, volutes et paysages, affectent des formes difficiles à exécuter en bois.

Pugin et le Néo-Gothique

La confusion stylistique est grande, et les designers engagés par les industries passent indifféremment d'un style à l'autre, réservant la production néo-élisabéthaine, néo-jacobean et néo-rococo aux intérieurs domestiques, celle néo-gothique aux édifices publics, aux grandes demeures et aux églises. Mais, si à tous les autres néo-styles fait défaut un concepteur-théoricien qui en oriente le goût et en contrôle les résultats, le Néo-Gothique peut compter sur une personnalité de tout premier plan : Augustus Welby Northmore Pugin. Dans une série de recueils publiés entre 1836 et 1849, Pugin exprime avec beaucoup de clarté des idées alors totalement

Cabinet. *Réalisé en 1847 d'après un dessin de Pugin, ce meuble en chêne rouvre se caractérise par son abondant décor, principalement des motifs géométriques et floraux sculptés.*

à contre-courant de l'époque ; avec lui, la structure du meuble devient « honnête », évitant le superflu ; le décor n'est utilisé que pour embellir le meuble, respectant ainsi les formes structurelles sans les masquer. Pugin se bat, en outre, pour que les différents styles, et notamment le Néo-Gothique, soient reproposés sans altérations ou innovations farfelues, mais en conservant leurs caractères originaux. Ses meubles, presque toujours destinés aux maisons qu'il a lui-même conçues, présentent généralement une structure simple et un aspect massif. Les armoires, les sofas, les portes et les tables, abandonnant les parties ajourées, se caractérisent par des arcs en ogive, des feuillages rampants, des rosaces, des pinacles, sans pour autant que les éléments décoratifs prévalent sur la structure. Dans la seconde moitié du siècle, après la mort de Pugin, on relève parmi les plus célèbres concepteurs de meubles de style néo-gothique les noms de William Burges (1827-1881) et Bruce Talbert (1838-1881). L'œuvre de Burges est caractérisée par une certaine somptuosité de la structure – avec des références architecturales très précises – et par une grande fantaisie décorative et chromatique, qui font de son interprétation du Gothique une sorte de réinvention très personnelle, manquant toutefois souvent de mesure et témoignant de survivances Renaissance. Talbert s'exprime avec plus de simplicité, employant de préférence le bois naturel et recourant avec une grande sobriété à un décor composé d'incrustations linéaires et de motifs géométriques sculptés d'inspiration très nettement architecturale. Les surfaces sont formées de lamelles juxtaposées, tandis que certains éléments de la construction, comme les emboîtages en queue d'hirondelle, sont le plus souvent apparents.

L'Exposition de 1851

Avec l'apparition de nouvelles techniques et l'organisation du travail provoquées par l'industrialisation, le meuble, considéré jusqu'à la fin du XVIIIe siècle comme une œuvre d'art, se transforme en un produit de grande série. L'un des premiers à parler d'*industrial design* est Henry Cole, qui figure parmi les organisateurs de l'Exposition de Londres de 1851, dont le

Bibliothèque. *Œuvre de Burges, cette bibliothèque néo-gothique de 1862 présente une structure architecturale et une surface entièrement peinte de scènes bibliques.*

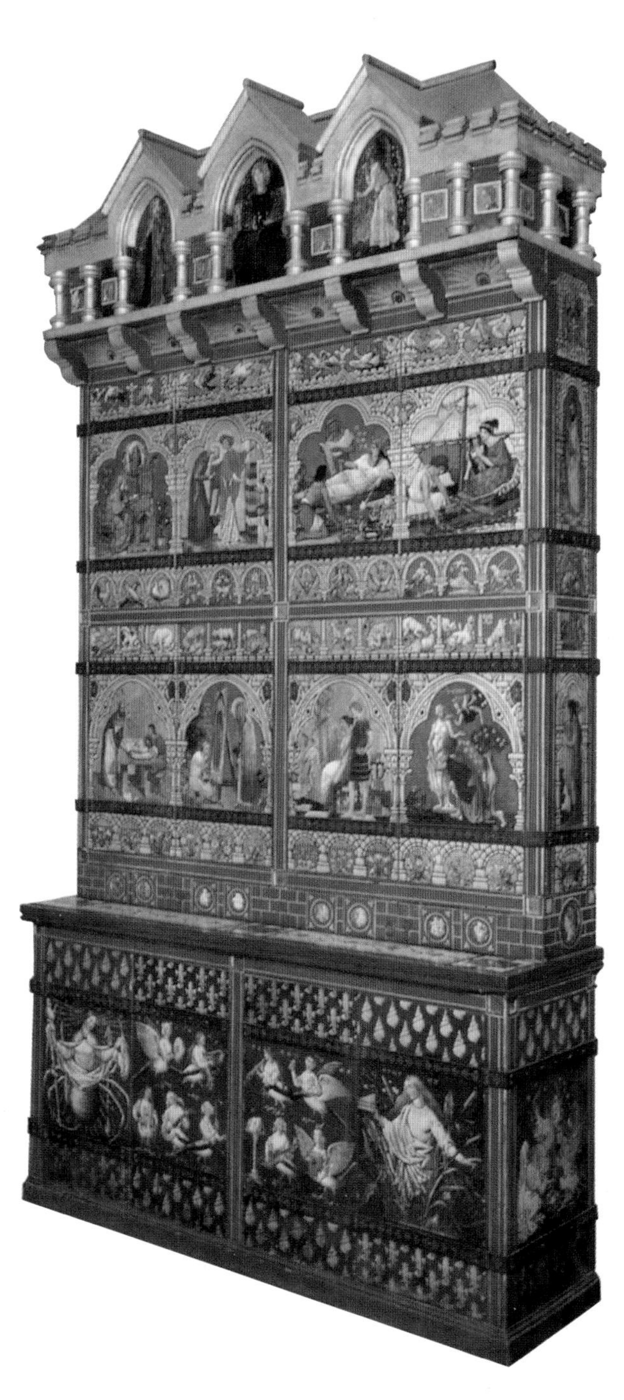

siège, le Crystal Palace, exécuté sur un projet de Joseph Paxton, est jugé par de nombreux historiens comme le premier exemple symbolique d'architecture moderne. Cependant, mis à part le cas de Thonet, qui parvient à exprimer des formes « modernes » avec l'emploi de procédés modernes, la production n'est pas à la hauteur de l'extraordinaire potentialité de l'industrie, et il faudra attendre la fin du siècle pour que l'écart soit comblé. L'Exposition de 1851 illustre parfaitement cette confusion de styles et d'orientations : un lieu extrêmement moderne, où sont exposés des produits exécutés selon les techniques les plus avancées, mais stylistiquement tournés vers le passé, ce qui permet ainsi à certains historiens, artistes et architectes de réagir et de proposer, dans les années suivantes, des formes et des concepts qui révolutionneront le meuble et sa fabrication.

La firme Morris & Co.

Si Cole exprime une attitude positive à l'égard de l'industrie, il s'en trouve d'autres pour la rejeter, par réaction, en lui imputant le déclin des arts appliqués. On relève, parmi les tenants d'un retour à l'artisanat d'art, le nom de John Ruskin (1819-1900), qui, en sa qualité d'historien d'art, mais aussi d'écrivain économico-social, remet à l'honneur la vision médiévale d'un art-artisanat étroitement

Cabinet. *La richesse des décorations réalisées par Burne-Jones contraste avec la linéarité sèche de l'ensemble. Exécuté vers 1860, ce meuble est garni de tiroirs et de vantaux.*

Le papier mâché

Pendant toute la période victorienne, des objets et petits meubles comme les boîtes, panneaux, chaises et guéridons, fabriqués dans un composé de pâte à papier et de colle forte, jouissent d'une grande faveur en Angleterre. Ce matériau, d'origine orientale et désigné par divers noms – carton-pâte, paper ware *et papier mâché –, était déjà connu en Italie à la Renaissance, peut-être même avant... Une technique est mise au point à la fin du XVIIIe siècle, qui en permet une utilisation plus vaste au siècle suivant. La base est constituée de papier macéré, auquel on ajoute de la colle et du plâtre ; on le met ensuite dans des moules, et, une fois sec, il est prêt à recevoir un décor. Une autre technique, utilisée pour des panneaux assez résistants (parfois renforcés par une âme de métal) pouvant être laqués ou peints et servant souvent à la fabrication de plateaux, consiste à coller à chaud plusieurs couches de papier spécial. Un procédé a été mis au point par la suite pour le ployage à chaud de ces panneaux. Ensuite, meubles et objets sont généralement recouverts de couches de laque polies et peints ou marquetés de nacre. Le papier mâché bénéficie d'une popularité qui ne se limite pas à l'Angleterre, mais se manifeste également en Amérique.*

lié à la société. Cependant, le plus engagé, aussi bien sur le plan théorique qu'opérationnel, est William Morris : avec la construction de sa propre maison, conçue en 1859 par Philip Webb sur ses indications précises, il renverse les critères alors en vigueur (pour lesquels les références à des schémas et à des styles précis sont obligées), en construisant un édifice entièrement fonctionnel. Rejetant l'incohérence absolue – de forme, de dimension, de commodité et de goût esthétique – des produits courants du commerce, il décide de faire fabriquer des meubles appropriés et selon des critères nouveaux. En 1861, il naîtra de cette

A gauche. Chaise. *Exécutée vers 1870, elle s'apparente beaucoup aux chaises produites par la firme Morris & Co. Le dossier comporte les traditionnelles baguettes fuselées et le siège est paillé.*

En bas. Table. *Dessinée par Webb vers 1859, cette table ronde en chêne présente une base massive et repercée, d'inspiration très nettement médiévale.*

expérience la firme Morris & Co., qui produira, sur des dessins de Morris lui-même et de ses collaborateurs (Webb, Madox Brown, D.G. Rossetti, Burne-Jones et d'autres), des meubles, tissus, papiers peints, carreaux et objets pour la maison, témoignant tous d'un grand raffinement stylistique et d'une science artisanale consommée. Adepte des idées de Ruskin et de Pugin, Morris s'inspire, d'un côté, des anciennes coteries médiévales, dans lesquelles l'artisan-artiste occupe une place centrale, et, de l'autre, des théories alors naissantes du socialisme humanitaire. Les pièces de mobilier de sa firme se caractérisent par la simplicité de la structure et l'austère linéarité du dessin. Les ornements, le plus souvent inspirés de motifs floraux préfigurant les développements suivants de l'Art nouveau, sont disposés d'une main légère, tandis que certaines parties sont parfois décorées de plaques de couleurs ou de panneaux de cuir laqué ; ou bien sont insérées des scènes peintes par le peintre pré-raphaélite Burne-Jones. Les chaises ont un aspect simple et élégant, le siège est paillé, les pieds sont tournés, droits ou légèrement évasés, et les dossiers comportent les traditionnels fuseaux disposés selon de nombreuses combinaisons. Les fauteuils sont pourvus de larges dossiers carrés,

◆ CRÉDENCE. Dans la première moitié du XIXe siècle, elle a les caractères marquants des néo-styles en vogue ; vers la fin du siècle, elle se simplifie, adoptant des critères esthétiques et d'exécution plus rationnels. On relève, parmi les modèles les plus courants, le buffet à un seul corps soulevé au-dessus d'un espace ajouré, à corps latéraux ou *sideboard* ; mural (*voir* figure) avec de larges espaces ajourés, à vitrine et à plusieurs corps fermés.

◆ CABINET. Revenu en faveur avec la résurgence des styles du passé, il offre toujours un décor abondant, aussi bien dans les versions en bois naturel qu'en bois peint. Il se compose souvent d'un corps inférieur clos, reposant sur des pieds courts, et d'une partie supérieure parfois en retrait, avec des espaces ajourés. D'autres modèles présentent la partie inférieure ouverte, avec des rayons et un corps supérieur fermé.

◆ HERNE'S HOAK CANTERBURY. Petit meuble composé d'un corps inférieur de rangement à claire-voie, muni d'un râtelier et reposant sur de courts pieds garnis de roulettes. Il trouve généralement sa place dans les bureaux-bibliothèques et les salons.

Crédence. *Exécutée vers 1867 sur un projet de Godwin, ce meuble en bois peint compte parmi les plus représentatifs de l'influence des formes japonaises sur le mobilier anglais.*

d'accotoirs rembourrés soutenus par des lamelles tournées et des pieds droits ou un peu incurvés, mais toujours garnis de roulettes, typiques de la vogue de l'époque. En 1888, sous la direction de Morris, est constituée l'*Arts and Crafts Exhibition Society*, qui rassemble tous les concepteurs anglais d'avant-garde de ces années, et qui, dans une série d'expositions, indiquera de nouvelles méthodes, mais aussi de nouvelles formes. Conditionnant la production industrielle, ces indications contribueront, par l'attention

◆ Trio Table. Composition de trois (ou quatre) petites tables de taille décroissante, à pieds droits galbés, conçues pour s'emboîter les unes dans les autres. Répandue au début du XIXe siècle, elle restera très populaire pendant tout le siècle ; semblable à la table gigogne française, on l'appelle aussi *nest of table*.

◆ Fauteuil. Pendant toute la période victorienne, c'est un siège très confortable, souvent capitonné. Il peut être entièrement recouvert ou laisser les pieds et les bras apparents. De nombreux modèles ont un dossier inclinable et un repose-pieds ; les pieds sont généralement garnis de roulettes. Dans la seconde moitié du siècle, la chaise à bascule en bois ployé de Thonet est très en faveur.

◆ Table. Les modèles ronds à plateau à rallonges et ceux complétés par des abattants pliables sont très répandus. Ils peuvent être dorés, sculptés ou sans décors. Le format rectangulaire est typique du style médiéval, qui présente souvent un plateau posé à la base des pieds (*voir* figure).

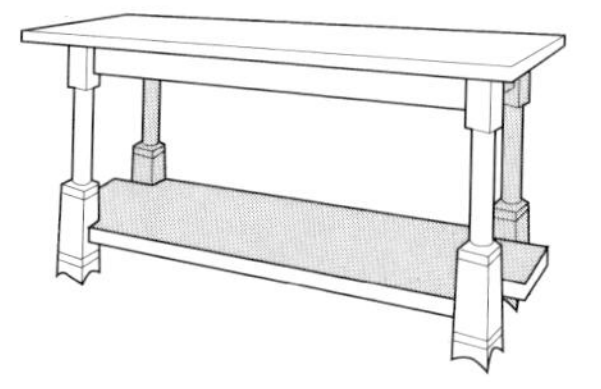

accordée au projet et à sa réalisation, à la naissance de l'*industrial design* moderne. Dans ce cadre de l'*Arts and Crafts Movement*, A.H. Mackmurdo proposera les premiers meubles de style nettement Art nouveau.

Le mouvement esthétique et le mobilier d'art

Au début de l'année 1870, et simultanément aux expériences réformatrices de Morris – orientées vers un art utile et axé, du moins dans les intentions, sur le peuple –, certains intellectuels, dont Oscar Wilde et Walter Pater, proposent l'idée de la recherche du beau en soi, jetant les bases du mouvement esthétique, qui oppose aux meubles de masse le « mobilier d'art », œuvre de poésie unique et qui ne se répète jamais. Le regain de faveur que connaît l'art japonais inspire à E.W. Godwin un style qu'il définit lui-même d'anglo-japonais, et qui constitue le résultat le plus important produit dans le cadre du « mobilier d'art ». Parti d'expériences néo-gothiques, Godwin se consacre à l'étude de l'art japonais, créant des meubles de structure fortement rationnelle, dans lesquels prédominent les lignes verticales et horizontales soutenues par un rapport savant entre vides et pleins. Ils sont généralement traités en chêne laqué de noir ; les pieds sont minces, le décor est souvent absent ou réservé aux miroirs incorporés aux vantaux, tandis que pommes, poignées et charnières, par le contraste chromatique qu'elles offrent avec le bois façon ébène, prennent un certain relief. Chaises, fauteuils et guéridons témoignent d'une pareille légèreté, même si les éléments structurels sont mis en valeur, comme les traverses et supports, qui ont une fonction ornementale.

◆ WASHSTAND. Meuble-toilette qui se distingue par un plateau contenant une cuvette. C'est un meuble généralement haut, de forme carrée, à pieds, comportant un corps inférieur clos par des volets sculptés et ajourés, sur lequel repose un plateau de marbre pourvu d'un évidement pour placer la cuvette. La partie supérieure est composée d'un espace ajouré, garni d'une glace et généralement très décoré, et d'un corps clos couronnant le meuble. Les exemplaires plus importants présentent un riche décor peint, souvent inspiré du style gothique.

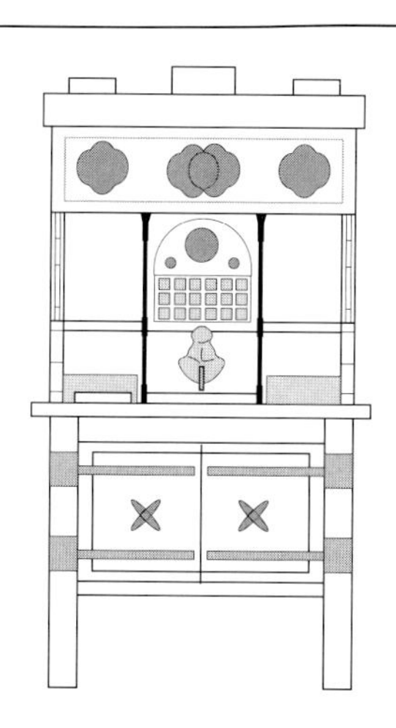

AUGUSTUS WELBY NORTHMORE PUGIN (1812-1852)
Architecte et dessinateur de meubles, il est le principal représentant du style néo-gothique. Concepteur et théoricien, il exprime avec force des idées importantes sur l'utilisation correcte des matériaux et sur l'exacte interprétation des éléments gothiques.

WILLIAM MORRIS (1834-1896)
Designer, artisan et écrivain, il est considéré comme le plus important représentant du mouvement en faveur de la réforme de l'artisanat et l'inspirateur des théories sur l'influence sociale de l'œuvre des architectes et des designers. En 1861, il fonde la firme Morris & Co., en 1888 l'Arts and Crafts Exhibition Society.

PHILIP WEBB (1831-1915)
*L'un des plus importants architectes et designers anglais, collaborateur de Morris et partisan de l'*Arts and Crafts Movement. *Malgré ses références au Gothique, ses meubles sont simples et sans le décor de ce style.*

EDWARD WILLIAM GODWIN (1833-1886)
Architecte et designer de meubles, tissus et objets d'ameublement, il développe le style dit « anglo-japonais », créant un mobilier dans lequel les motifs orientaux rationnels sont inscrits dans des structures typiquement européennes.

Intérieurs du XIXᵉ siècle

Le changement des intérieurs, de l'austère sobriété du style Empire au pittoresque Éclectisme des décennies suivantes, entraîne une transformation radicale du goût et aussi de la façon de concevoir la maison. Certains meubles, jadis adossés au mur, comme les tables et guéridons, commencent à se déplacer vers le centre des pièces, auparavant vides et occupées par de grandes tables difficiles à déplacer. Les sièges se font de plus en plus moelleux et confortables, les lits de repos se multiplient, et l'on applique à presque tous les meubles des roulettes pour en faciliter le déplacement. Les plafonds sont souvent plats et presque toujours décorés dans les différents styles en vogue, mais il n'est pas rare de les voir peints d'une couleur unie. Les lits à dais tombent en désuétude, et, ne serait-ce que pour raisons d'hygiène, les lits en fer et en cuivre se répandent. Les lampes à pétrole, enfin l'éclairage au gaz et électrique augmentent le confort de la vie chez soi, surtout le soir. Après 1870 se multiplient les immeubles pourvus d'appartements réservés aux petits bourgeois et aux ouvriers : la distribution est articulée autour d'un couloir et d'une série de pièces comme le salon, la salle à manger, la chambre à coucher. Ce schéma servira de base à la conception de toutes les habitations et demeurera jusqu'à nos jours.

Ci-dessus. Chambre à coucher. *Cette aquarelle de 1802 représente la chambre de Mme Récamier, meublée par le célèbre menuisier Jacob. R. Smirke,* Intérieur. *Royal Institute of British Architects, Londres.*

Ci-dessous. Salon. *Cette aquarelle montre une partie du mobilier de la Petite Galerie, dans la résidence de l'impératrice Joséphine Bonaparte à La Malmaison (1812). La pièce est du plus pur style Empire. A. Garnerey.* Intérieur.

Ci-dessus. Chambre à coucher. *Peinture d'une chambre à coucher, tendue de soie, d'un palais allemand. Les meubles sont adossés au mur, le lit est du type bateau. Collection royale suédoise, Stockholm.*

A gauche. Salon. *Cet intérieur allemand (1820) montre quelques meubles dessinés par Schinkel ; les chaises et le sofa sont assortis (en suite), tandis que la table, placée au centre, présente la forme ronde habituelle. Nationalgalerie, Berlin.*

Ci-dessus. Pièce en location. *Cette peinture (1824) montre les diverses fonctions de cette pièce florentine : près du lit se trouve un petit salon, face auquel est placée une commode à glace ; au fond, la salle à manger ; entre les fenêtres, une console surmontée d'une glace. Université Jagellonica, Cracovie.*

A gauche. Petite pièce de travail. *Cette pièce polonaise date de 1829, mais l'intérieur est typiquement* XVIIIe*. Certains meubles sont français, d'autres d'inspiration anglaise ; le banc que l'on aperçoit par la fenêtre est de style gothique. W. Richter,* Intérieur. *Université Jagellonica, Cracovie.*

A gauche. Chambre à coucher. *Cette illustration est tirée d'un catalogue de modèles d'un tapissier parisien ; décor de style Empire tardif (vers 1830). T. Pasquier.* Dessins d'ameublement. *Bibliothèque Forney, Paris.*

Ci-dessous. Salle à manger. *Cette aquarelle représente une salle dans laquelle on se prépare pour le déjeuner. Les tables sont à rallonges ; au fond trône un poêle. Musée municipal, Stockholm.*

A droite. Glace. *Ce dessin, de 1837, est tiré d'une revue d'ameublement allemande, très connue à l'époque. il montre un intérieur assez typique de la fin de l'Empire, dans lequel des motifs du Biedermeier se conjuguent avec des influences du Regency anglais.* Journal für Möbelschreiner und Tapezierer, *Magonza-Francfort, 1835-1853.*

Ci-dessus. Toilette. *Ce coin toilette d'une maison parisienne de 1848 montre la transformation subie par les intérieurs, qui se remplissent à la limite de l'invraisemblable de meubles et d'objets. F.-E. Villeret,* Intérieur. *Gooden and Fox, Londres.*

Ci-dessus. Salon. *Le dessin, daté de la première moitié du XIXe siècle, représente un projet dans le style néo-gothique, dû au père de Pugin, Augustus Charles. L'harmonie entre la décoration de la pièce et les meubles est parfaite ; le style est, en revanche, inexact, sur le plan philologique. A.C. Pugin,* Gothic Furniture.

A gauche. Salon. *Caractérisé par une séduisante symphonie de couleurs, ce salon viennois des années 1840-1850 montre, à gauche, un espace informel et, à droite, le coin représentation avec l'album et les livres mis en évidence sur la table. M. Grösser,* Intérieur. *Historisches Museum der Stadt, Vienne.*

A gauche. Salon. *Aquarelle de 1847 représentant un salon allemand réalisé dans le style néo-gothique et certainement influencé par Pugin. L'ensemble a un aspect plutôt sévère ; la cheminée de pierre est précieuse, tandis que le majestueux fauteuil pèse sur toute la pièce. C.A. Graeb,* Intérieur. *Bibliothèque du palais de Windsor.*

A gauche. Salle à manger. *Cette illustration de 1855 représente une pièce de la résidence écossaise de la reine Victoria. Le plancher est entièrement recouvert par un tapis turc. Bibliothèque du château de Windsor.*

Ci-dessous. Pavillon de chasse. *Dans cette illustration de 1857, la pénétration du goût néo-gothique en Allemagne est manifeste. T. Reifenstein,* Intérieur. *Fürstlich Leiningensche Verwaltung, Amorbach.*

A droite. Salon. *Intérieur italien de 1859, à caractère carrément éclectique. Les encadrements, en effet, sont quasiment tous baroques et rococo, les meubles sont exécutés dans des styles très différents. L. Premazzi,* Intérieur. *Sotheby, Londres.*

A gauche. Décoration murale. *Exécutée vers 1860, cette aquarelle de Webb est un projet de décoration murale pour la « salle à manger verte » du South Kensington (aujourd'hui Victoria and Albert Museum), réalisée par la firme Morris, selon la nouvelle sensibilité préraphaélite. P. Webb,* Décoration. *Victoria and Albert Museum, Londres.*

A gauche. Salon. *L'illustration, qui remonte à 1860, représente un salon allemand dans lequel le Néo-Gothique (décoration du plafond et de la niche dans le fond) se mêle ici à certains meubles du Biedermeier tardif, comme la vitrine à droite. Au centre, on reconnaît un canapé type « confident ». F. Rothbart,* Intérieur. *Bibliothèque du château de Windsor.*

A droite. Salon. *En 1863, date à laquelle a été exécutée cette toile, le style Empire est toujours très répandu, comme en témoignent la tenture de la fenêtre et la chaise. En revanche, le fauteuil est typique des années 1840-1850. O. Borrani,* Intérieur. *Archives des Macchiaioli, Rome.*

Ci-dessous. Intérieur. *L'intérieur de cette maison parisienne, peint en 1877, montre un décor très en faveur chez les artistes de l'époque : abondance de tissus sur le sol et les murs, meubles exécutés dans les formes remises à l'honneur par les nombreux « revivals » de styles du passé. Galerie nationale, Budapest.*

A gauche. Tapis. *Ce motif de hiboux et de végétation, dessiné par Voysey en 1898, a servi pour les tapis comme pour les papiers muraux, de façon à créer des intérieurs coordonnés. Victoria and Albert Museum, Londres.*

A droite. Décoration. *Ce dessin anglais daté de 1887 témoigne du goût pour le décor floral, qui préfigure le style Art nouveau. Le thème des fleurs est également repris dans les panneaux des portes. Bibliothèque Bodleiana, Oxford.*

Ci-dessous. Salon. *L'élément floral typique de l'Art nouveau prédomine, transformant l'intérieur de cette maison en un séduisant champ de fleurs. É. Vuillard,* La Soupe *(1900). Musée de l'Annonciade, Saint-Tropez.*

Art nouveau

◆

Art déco

◆

Mouvement moderne

ART NOUVEAU

(fin du XIXe siècle et début du XXe)

◆ Après plus d'un demi-siècle d'Historisme et d'Éclectisme exaspéré, la dernière décennie du XIXe siècle voit alors se développer, pas seulement en Europe, une tendance moderniste liée à toutes les manifestations artistiques, de l'architecture aux arts appliqués, de la peinture à l'illustration, de la sculpture à l'affiche publicitaire ; ce courant aspire à un total renouvellement, renvendiquant la définition de « nouveau style ». Bien qu'on le retrouve dans tous les pays sous des appellations différentes, il est historiquement défini sous le nom français d'Art nouveau. La ligne constitue la caractéristique principale de ce style, tantôt lente, tantôt rapide, avec un déroulement presque toujours asymétrique et enveloppant, passant de la finesse du motif décoratif à la vigueur de l'élément structurel. Le décor, le plus souvent inspiré de motifs floraux (campanules, roses, feuilles et bourgeons) ou animaliers (papillons, libellules et lévriers), ne sert pas seulement à rehausser la beauté du meuble, mais devient un moyen pour aboutir à la forme. A côté de cet Art nouveau exubérant, il en existe une version tout en mesure et élégante rigueur, caractérisée par une décoration paisible et des formes qui s'expriment à travers des figures géométriques élémentaires (carré, cercle et rectangle), marquant une préférence pour les surfaces planes plutôt que pour les sculptures, pour les lignes verticales plutôt que mouvementées.

Les « âmes » multiples de l'Art nouveau

Bien qu'en apparence contradictoires, les deux tendances de l'Art nouveau s'inspirent des mêmes idéaux de renouveau artistique et expriment, sous des formes différentes, des théories très proches, visant à une conception dynamique et unitaire de l'espace, dans lequel tous les éléments du mobilier, de la poignée au meuble et à la tapisserie, revêtent une égale dignité esthétique, dans un contexte où chaque objet est étudié et conçu exactement pour la place qu'il occupe. Et voici qu'apparaît manifeste la totale opposition du modernisme au concept de mobilier en vigueur ces années-là, dans laquelle l'accumulation bric-à-brac des

Page ci-contre. Bureau. *Œuvre typique du style de Majorelle, ce bureau en acajou (1900) est inspiré des formes végétales sinueuses.*

Ci-dessous. Buffet. *Dessiné en 1917 par Mackintosh. Il accuse une géométrie limpide de formes et de couleurs. Le panneau central est réalisé en verre coloré, rehaussé d'incrustations de nacre.*

En bas. Bureau. *Dessiné vers 1897 par Van de Velde, ce bureau en noyer se caractérise par une ligne nette et dynamique, mise en valeur par les décors en forme de Z et les poignées en laiton.*

meubles et des divers objets témoigne d'un sentiment symptomatique de l'*horror vacui* (horreur du vide). A partir de cette première subdivision de l'Art nouveau, on a distingué quatre courants spécifiques, en rapport avec les zones géographiques où ils se sont exprimés. Le premier, développé dans la zone franco-belge, est caractérisé par une forte abstraction des éléments naturalistes de départ et par un évident symbolisme de l'ensemble ; les lignes, marquées par un dynamisme plastique nerveux, se déroulent organiquement, souvent à partir d'un unique point du meuble, pour se transformer en un élément structurel. Le deuxième, typiquement français et représenté par l'École de Nancy, est attaché à une représentation plus naturaliste des formes animales et florales, utilisées soit comme des décors, soit en tant qu'éléments structurels ; même dans ce cas, on note un fort symbolisme, souligné par l'incorporation aux meubles d'inscriptions allégoriques. Le troisième courant, incarné par l'École anglaise de Glasgow, s'identifie à l'utilisation de la ligne en tant qu'élément de simplification absolue, et de formes géométriques dépouillées, dans lesquelles prédomine un verticalisme symbolique et un emploi très rigoureux de la couleur. Le quatrième et dernier courant se développe notamment dans la zone austro-allemande, manifestant une tendance proche d'une certaine façon du courant anglais, liée à la mise en valeur des éléments constructifs et à la maîtrise des formes qui s'identifient souvent avec les figures de la géométrie élémentaire : le cercle et le carré. Même la décoration est utilisée avec parcimonie, perdant presque complètement le symbolisme commun aux autres courants.

Bureau. *De proportions rigoureuses, mais très agréables, ce bureau en chêne de Hoffmann date de 1905. Les vantaux latéraux du dessus sont en verre coloré et ornés d'encadrements ovales.*

Autant de pays, autant de définitions

Si de nombreuses influences ont contribué à la naissance de l'Art nouveau, du « revival » du Gothique à l'exotisme, de l'Historisme au Symbolisme, un courant revêt une particulière importance : l'*Arts and Crafts Movement*, défini aussi comme « premier Art nouveau anglais », qui accueille en son sein des personnalités très proches du « nouveau » style, voire des précurseurs, comme Mackmurdo. Après les premières expériences anglaises au cours des années 1870-1880, qui ne se dégageront jamais d'un élégant décorativisme selon les enseignements de l'Arts and Crafts Movement, un style « nouveau » surgit comme par enchantement en 1890 à Bruxelles, pour mûrir dans les deux ou trois années suivantes. Il reçoit des appellations différentes, dont certaines étranges, comme *Paling Stijl* (style anguille) ou style « nouille », mais il est historiquement connu sous le nom de *Modern Style*, terme qui révèle clairement son origine anglaise, ou encore Art 1900 ; ses plus éminents représentants sont Victor Horta et Henri Van de Velde. En Allemagne, ce style s'identifie aux positions du magazine *Jugend*, d'où vient le nom de *Jugendstil* (style jeune), mais on trouve aussi de curieuses appellations, comme *Bandwurnstil* (style ténia) ou *Wellenstil* (style vague). En Autriche, il devient le *Sezessionstil* (style sécession), du nom d'un groupe d'artistes résolument d'avant-garde. En France, après avoir parlé de style « moderne », de style « métro » (cela en raison des stations de métro alors dessinées par Guimard) ou de style « rastaquouère » (style Légion étrangère), on finit par s'arrêter à Art nouveau, nom d'une galerie de meubles que Samuel Bing, fervent partisan du nouvel art, a ouverte en 1895 à Paris. En Italie se répand le terme de style *Floreale*, mais celui de *Liberty* est également très populaire, du nom d'une firme anglaise réputée pour ses tissus, la Liberty & Co., de Londres. En Espagne, on retient l'appellation d'*Arte Joven*, dérivée d'une revue fondée en 1901 par Soler et Picasso. L'adoption généralisée de « Art nouveau » dans tous les pays est due à l'extraordinaire succès de ce style à l'Exposition de 1900, à Paris : à partir de là, et bien que la tendance conserve dans chaque pays les dénominations locales, la primauté française est cependant universellement reconnue, à commencer par le nom.

Buffet. *Ce beau buffet de Gaillard, à décor typique en « coup de fouet », exécuté en 1900, est particulièrement représentatif de la tendance abstraite de l'Art nouveau français.*

France

A Paris se développe une tendance, venue de Belgique, qui interprète la ligne comme un signe abstrait qui parcourt les surfaces en formant des plis et de larges volutes, semblables à des voiles déployées au vent. L'abolition des arêtes contribue à adoucir les angles et les moulurations, tandis que les structures se font nerveuses, engendrant des lignes de force verticales. Le matériau utilisé – bois, bronze, fer forgé – apparaît entièrement assujetti à la forme, se modelant comme l'argile en renflements, torsions, replats et brusques différences d'épaisseurs, qui trahissent leur inspiration puisée en droite ligne du Rococo. On retiendra, parmi les principaux artisans parisiens, les noms de Guimard, Gaillard et de Feure. Hector Guimard (1867-1942), auteur des célèbres entrées

du métro parisien, fait preuve d'une prodigieuse richesse d'invention et d'une grande maîtrise dans le traitement des surfaces des meubles – généralement exécutés en bois de poirier –, qui semblent imprégnés d'une mystérieuse et symbolique tension interne. Eugène Gaillard (1862-1933) se distingue par l'élégance et la délicatesse raffinée de ses réalisations, comme en témoigne le fameux buffet présenté à l'Exposition de 1900 à Paris : les poignées en bronze bruni s'harmonisent à merveille avec les délicieuses sculptures des vantaux et des tiroirs. Ses pièces de mobilier puisent leur inspiration dans la douce sinuosité des ramages, transformée en ligne-guide pour la réalisation des structures et des décors. Georges de Feure (1868-1928) est très différent : ses meubles ont une grâce naturelle, parfois un tantinet maniérée, mais expriment cependant un monde moins novateur et s'apparentant plus que d'autres aux modèles rococo. Coloriste raffiné, il privilégie les couleurs claires comme le gris, le bleu, le vert d'eau, recourant souvent aussi à la dorure sur les canapés et les fauteuils, dont les formes délicates sont ornées de sculptures et d'entailles. L'École de Nancy, constituée en 1901 autour d'Émile Gallé, est pleinement orientée vers le naturalisme, avec une forte dose de symbolisme d'origine littéraire. On reconnaît les meubles Gallé à leur structure très traditionnelle ; leurs proportions correspondent généralement aux modèles Louis XV et Louis XVI. Ce qui change, ce sont la structure, qui revêt un aspect exubérant, et les tensions linéaires des éléments végétaux, dont le décor sculpté ou marqueté prend souvent la forme de fleurs, de branchages luxuriants, de papillons (comme dans le célèbre « lit papillon ») ou de libellules, comme dans le « guéridon aux libellules » pour lequel il substitue, aux pieds à griffes des modèles classiques, précisément des libellules. La nature symbolique de ces meubles est souvent soulignée par l'incorporation à certains endroits de phrases ou de vers. Gallé réinvente l'art de la verrerie dans toute son extraordinaire production. A côté de ce chef de file, il convient de citer Louis Majorelle (1859-1926) qui, par rapport à son maître, exprime un sens plastique plus grand (ce n'est pas un hasard si ses meubles sont modelés en argile avant leur fabrication) et a recours à de fréquentes applications de bronze doré.

Ci-dessous. Chaise. *D'inspiration clairement naturaliste, cette chaise de Gallé (1902) a un curieux dossier ajouré, qui repropose une forme végétale ; les montants recourbés font office de pieds.*

En bas. Canapé. *Ce meuble de Georges de Feure (1900), sans renoncer à l'élégante linéarité de l'Art nouveau, témoigne clairement de l'influence du Louis XVI sur certains auteurs français.*

Belgique

C'est en Belgique que l'on observe les toutes premières manifestations modernistes sur le continent européen, avec l'œuvre de Victor Horta

Ci-dessous. Fauteuil. *Les lignes de force créées par les courbes opposées constituent l'élément le plus intéressant de ce fauteuil de Van de Velde (1896). Le dessin du tissu reprend les lignes de la structure en bois.*

En bas. Bureau. *Toute la structure articulée de ce bureau de Van de Velde, caractérisé par la nette opposition des pleins et des vides, est centrée de façon idéale sur le décor « en papillon » derrière le replat.*

(1861-1947), qui, au début de 1890, définit de façon définitive les caractères du nouveau style. Ses architectures et les meubles qu'il conçoit pour celles-ci tendent à une complète intégration dans la pièce, développant un dessin inspiré des formes végétales, sans jamais les reproduire, mais en en interprétant pourtant les souples sinuosités dans des ornementations légères et fluctuantes. Les éléments structurels, bien que soumis à un dessin délicat et élégant, dominent souvent. L'attention accordée à la structure du meuble constitue également la caractéristique d'Henri Van de Velde, que l'on peut considérer comme l'artiste le plus engagé dans l'affirmation du Modern Style. Architecte, peintre, designer et écrivain, il exerce son activité dans toute l'Europe, et il n'est pas un domaine des arts appliqués auquel il ne s'intéresse. Ses

meubles, bien que renonçant à tout décor, comme dans le fameux bureau « en papillon », sont articulés autour de lignes de force qui jaillissent de la structure même : leurs courbes ne sont jamais ornementales, et donc des fins en soi, mais répondent à une tension interne. Le bois est toujours utilisé de façon organique, en respectant le dessin des fibres ; chaises et fauteuils sont souvent à dossier repercé avec des lanières incurvées assez semblables à des nervures tendues. On retiendra aussi le nom de Gustave Serrurier-Bovy (1858-1910), qui représente le point de jonction entre l'expérience belge et le courant anglais de l'Arts and Crafts.

Allemagne

Le Jugendstil allemand se développe dans deux centres : Munich et Darmstadt. Ainsi à Munich, on trouve Obrist et Endell, dont les œuvres reflètent, malgré une grâce un peu froide, un linéarisme floral qui ne néglige pas pour autant les éléments structuraux. Les meubles de Hermann Obrist (1863-1927), réputé également pour ses dessins de broderies, présentent souvent une volute symétrique et une plasticité modérée. August Endell (1871-1925), plus connu pour ses impétueux

Buffet. *L'aspect assez massif de ce meuble de Riemerschmid (1903) est tempéré par des éléments qui adoucissent l'ensemble, comme le profil rétréci vers le haut et les raccordements, jamais anguleux.*

décors architecturaux, dont celui de la célèbre façade du studio de photographie Elvira (1897), aujourd'hui détruite, exprime dans ses meubles des formes dans lesquelles l'effort novateur se traduit parfois avec incohérence. Proche, en revanche, des expériences de Van de Velde, l'œuvre de Richard Riemerschmid (1868-1957) aborde, à partir d'un linéarisme sinueux, des formes plus géométriques. A Darmstadt, l'influence autrichienne, et notamment celle de Joseph Maria Olbrich (1867-1908), va donner lieu à une plus grande sévérité des lignes et à une ordonnance plus rationnelle ; les artisans en sont Peter Behrens (1868-1940), l'un des grands novateurs dans le domaine du design et de l'architecture européenne, et un groupe de peintres et sculpteurs actifs dans le domaine des arts appliqués. Le mobilier de Behrens, par ailleurs formé lui

Les incrustations de nacre

Les qualités particulières de la nacre – très appréciée des designers et des ébénistes de l'Art nouveau, qui en ont fait un très large usage comme élément décoratif caractéristique de nombre de leurs meubles – ne constituent pas une découverte de la fin du XIXe siècle. Il s'agit, en effet, d'un matériau qui a déjà été utilisé à diverses époques, généralement pour des dessins ornementaux obtenus grâce à l'application de petites lames de forme régulière. L'Art nouveau privilégie, en revanche, l'application sous forme d'incrustations, c'est-à-dire le revêtement de nacre de tout ou partie de l'objet, sans que les lamelles soient accolées dans un ordre précis. La technique se révèle délicate, notamment dans la phase de préparation du matériau ; en effet, la nacre constitue la partie intérieure de la coquille et, une fois séparée de la couche externe, elle apparaît sous forme d'écailles très fines et fragiles. Les types les plus prisés sont blancs, mais la gamme des couleurs est assez vaste, englobant le vert et le noir. Les lamelles sont ensuite appliquées à l'aide de mastics spéciaux sur le bois ou sur d'autres supports, puis finis pour obtenir une surface lisse et brillante, caractérisée par une iridescence et une luminosité véritablement extraordinaires.

Meuble à deux corps. Dessiné par Olbrich en 1902, ce meuble en érable se caractérise par la libre jonction de deux formes différentes. Le corps supérieur est supporté par quatre boules préfigurant l'Art déco.

aussi à Munich, se distingue par sa rigueur empreinte de grâce et par l'élégante modération avec laquelle est exprimée la ligne courbe.

Autriche

Ce n'est qu'au seuil du siècle nouveau qu'un mouvement moderniste voit le jour en Autriche : la Sezession. Fondé en 1897 par le peintre Gustave Klimt et par les architectes Hoffmann et Olbrich, il commence à exposer aussitôt des œuvres des arts appliqués dans un style caractérisé par une linéarité dépouillée et une ordonnance géométrique, s'apparentant aux créations de l'Écossais Mackintosh. Le mobilier d'Hoffmann présente généralement une grande simplicité de composition ; de son atelier viennois (la *Wiener Werkstätte*), fondé avec le peintre Koloman Moser, sortent des produits très typés, non seulement sur le plan de la ligne (de très nombreux sièges sont exécutés en chêne cintré et fabriqués par la firme Thonet), mais aussi sur celui de la couleur, blanche et noire. Olbrich, en revanche, lie tout son décor au cercle, l'utilisant sans contrainte avec un graphisme souvent exubérant, mais aussi une grande élégance dans la composition. Les formes de ses meubles se ressentent parfois de l'influence du style Biedermeier, qui semble toutefois interprété avec une liberté extrême.

Angleterre

Bien qu'étant d'une certaine façon à l'origine du style Art nouveau, l'Angleterre n'acceptera pourtant jamais le développement que celui-ci connaît sur le continent, dont elle rejette notamment les lignes exubérantes tracées avec la plus grande liberté. Après les premières expériences réalisées par A.H. Mackmurdo et par C.F.A. Voysey, qui, suivant les indications de l'Arts and Crafts Movement, dessinent des meubles aux lignes légèrement animées, ou inspirées du monde oriental plus abstrait, et après celles, anglo-orientales, de Godwin, un groupe voit le jour à Glasgow : guidé par Mackintosh, il porte à ses

A gauche. Fauteuil. *Parmi les plus célèbres créations de Mackintosh, ce fauteuil de 1904 est caractérisé par le jeu géométrique des lattes de bois sombre.*

En bas. Cabinet à vitrine. *L'exubérance formelle de ce meuble exécuté vers 1900 est typique de l'œuvre de Gaudí, mais on y trouve aussi des références aux créations de Majorelle et de Guimard.*

ultimes conséquences la rigueur, le géométrisme et le culte de la ligne pure, qui constituent le trait distinctif d'une partie de l'Art nouveau. Le mobilier de Mackintosh représente ce qu'il y a de plus novateur au cours de ces années, nettement en dehors de tous les « revivals » du XIXe siècle. Les chaises, caractérisées par les vertigineux graphismes des dossiers à barreaux, les tables, les lits, les armoires, baignent alors dans les intérieurs, s'y intégrant ou devenant un pôle visuel grâce au jeu chromatique savant ou soumis, déterminé par toute une gamme de gris, de rose, de violet, de blanc et de noir. La verticalité rigoureuse, l'élégant entrecroisement des lignes verticales et horizontales, l'apport décoratif mesuré, qui joue des formes élémentaires du carré et du rectangle, avec de légères incrustations de verre et de nacre, confèrent à ces meubles une séduction particulière.

Espagne

Le modernisme espagnol s'identifie au mouvement catalan, incarné par Antonio Gaudí y Cornet (1852-1926). A l'égal de ses extraordinaires architectures, d'une fantaisie et d'une liberté d'exécution uniques, les meubles du maître espagnol sont conçus avec une grande tension créatrice : on y note la nervosité des structures, qui ressemblent tantôt à des cartilages, tantôt à des étoiles ondulantes, l'aspect visiblement sculptural des surfaces et des nervures, ainsi que le décor dépouillé, gravé ou ajouré, qui transforme la matière inanimée en des formes d'une vitalité bouillonnante.

Italie

Le style Liberty ne gagne l'Italie qu'après l'Exposition de Paris de 1900, et s'affirme

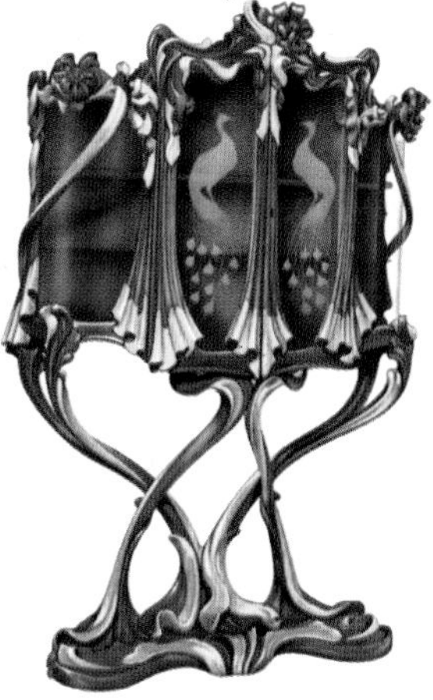

◆ Chaises et Fauteuils. Les chaises présentent généralement des dossiers très ouvragés, comportant des baguettes droites ou curvilignes, des décors floraux marquetés ou sculptés. Une importance particulière est accordée aux éléments structurels, comme les montants et les traverses, qui peuvent adopter des courbures très prononcées ; les pieds sont sculptés, presque toujours évasés. Les fauteuils suivent l'évolution des chaises et peuvent s'inspirer des modèles précédents, généralement rococo, conférant à la ligne une valeur plus dynamique.

◆ Table. Le mobilier Art nouveau marque une prédilection pour la table. Meuble de milieu, on en souligne souvent la qualité plastique ; la base, en effet, peut revêtir un aspect monumental ; soit elle est dotée de pieds, généralement reliés par des traverses, soit elle ne comporte qu'un seul support pouvant adopter la forme abstraite de la volute ou encore se déployer en tiges florales ondulantes.

◆ Bureaux. On retrouve les types traditionnels, dans les modèles importants comme dans les plus petits, généralement à usage féminin. Ils peuvent comporter des bases très élaborées, avec ou sans tiroirs latéraux, et des supports courbes, profondément moulu-

Chaise. *Œuvre de l'ébéniste Zen, cette chaise en acajou incrusté de cuivre et de nacre (vers 1902) montre le motif caractéristique à fleurs du dossier, d'inspiration française.*

Bureau. *L'élégance de ce petit meuble en acajou, exécuté par Zen vers 1902, est due au rythme des minces supports, dont la courbure s'achève sur le fin profil du dosseret.*

ensuite définitivement avec l'Exposition internationale des arts décoratifs modernes, tenue en 1902 à Turin. Bien que ne se distinguant pas par une originalité particulière, le modernisme italien peut compter sur quelques ébénistes de talent, tels Quarti, Zen, Cometti, et sur un groupe d'architectes et de designers, parmi lesquels le nom d'Ernesto Basile s'impose. Eugenio Quarti en est le représentant le plus éminent ; plusieurs fois primé, il produit des meubles solides et très élégants, mettant à profit sa connaissance de l'Art nouveau français, dont il s'inspire pour les décors floraux réalisés en marqueterie et rehaussés d'incrustations de nacre, d'ivoire, d'argent et d'écaille ; mais aussi de la Sezession autrichienne, qui lui suggère une attention particulière à la structure et le goût pour la solution de certains raccordements. Giacomo Cometti (1863-1938) semble, en revanche, davantage attiré par les solutions géométriques de l'Anglais Mackintosh, filtrées à travers l'élégance viennoise ; ses chaises présentent souvent un verticalisme modéré, avec des dossiers qui se rétrécissent vers le haut, tandis que les commodes, les toilettes et autres meubles témoignent d'une structure solide comportant de larges surfaces, des cannelures et des décors floraux sculptés. Après une production éclectique, Carlo Zen, à la tête d'une industrie confirmée, qui passera par la suite à son fils Piero, aborde le modernisme en créant des meubles légers, d'une élégance un tantinet maniérée, rehaussés d'abondantes et très riches incrustations de fils de cuivre et de nacre, qui ne sont pas vraiment dénués de références aux styles du passé.

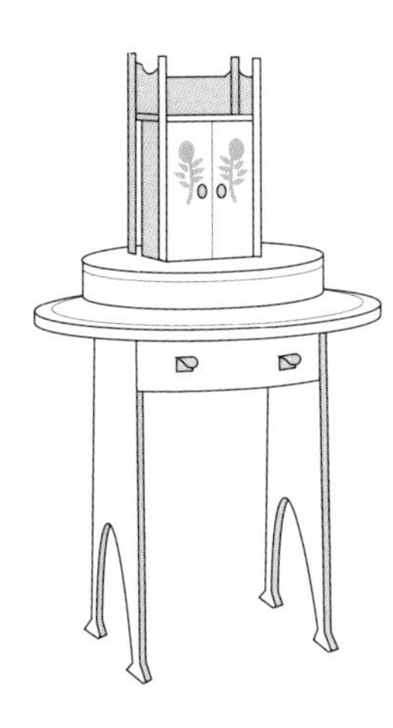

rés. Il existe des bureaux plus simples, à plateau de dimension réduite, comportant un dessus à un ou plusieurs plans ajourés, avec un panneau décoré en marqueterie (*voir* figure).

◆ Armoires. Les armoires, qui figurent parmi les meubles les plus représentatifs de la maison, sont généralement réalisées en suite avec le reste de l'ameublement de la chambre à coucher. Elles ont un aspect souvent monumental, tandis que la façade est presque toujours divisée en trois sections, la partie centrale contenant une série de tiroirs apparents ; elle est ornée de décors en relief dessinant des fioritures d'inspiration florale. Le couronnement peut être droit ou galbé.

◆ Paravent. Souvent inspiré de modèles japonais, il présente des panneaux délicatement décorés de fleurs ou de paysages, qui peuvent être peints ou recouverts de tissu, ou encore en verre coloré. La structure est généralement très mouvementée, notamment à la partie supérieure, avec des éléments courbes qui se répètent sur chaque panneau.

Chaise. *Un des plus fameux meubles de la vaste gamme conçue par Mackintosh, cette chaise à dossier haut, en échelle (1902), témoigne d'un sens poétique particulier dans l'usage de signes et formes élémentaires.*

ÉMILE GALLÉ
(1844-1904)
A Nancy, à côté de la production de verres, il ouvre un atelier de fabrication de meubles d'une facture exquise, en marqueteries de motifs floraux et animaliers, comme le grand papillon de nacre du « lit papillon » réalisé en 1904.

EUGÈNE GAILLARD
(1862-1933)
De 1900 à 1914, il dessine à Paris des meubles en bois précieux, de ligne doucement sinueuse, dans une version de l'Art nouveau plus simple et plus sobre que celle qui avait été proposée au cours des mêmes années par Gallé.

JOSEF HOFFMANN
(1870-1956)
Personnalité de premier plan de l'architecture et du design autrichien du début du XXe siècle. Il s'intéresse aux meubles et propose une interprétation originale de l'Art nouveau qui préfigure les canons du design fonctionnel.

CHARLES RENNIE MACKINTOSH
(1868-1928)
Plus apprécié en Europe que dans son Écosse natale. Dans ses meubles, et notamment ses chaises composées de subtils éléments verticaux, la structure elle-même revêt une grande valeur décorative.

HENRI VAN DE VELDE
(1863-1957)
Belge d'origine, mais très actif en France et surtout en Allemagne, il théorise et exprime des formes extrêmement fonctionnelles, sur lesquelles se greffent des motifs ornementaux.

EUGENIO QUARTI
(1867-1931)
Les incrustations de nacre et de métal et l'emploi de bois précieux caractérisent toutes ses pièces de mobilier, qui se ressentent de l'Art nouveau français.

CARLO ZEN
(1851-1918)
Artiste milanais ; après avoir produit des pièces de mobilier dans le style floral général, il adhère complètement à l'Art nouveau, créant des meubles d'une haute qualité, destinés à un public beaucoup plus vaste.

ERNESTO BASILE
(1857-1932)
Né à Palerme, il suit assidûment des études d'architecture. Sa production de meubles se ressent de cette formation, et il réalise l'un des styles Art nouveau les plus originaux qui se soient exprimés en Italie.

◆ BUFFET. Meuble de rangement indispensable dans la salle à manger, il ne s'éloigne pas des modèles traditionnels, bien qu'offrant les particularités extrêmes de l'Art nouveau flamboyant ou les caractères opposés d'inspiration géométrique. La partie inférieure est toujours close par des vantaux, comportant une bande où sont placés les tiroirs ; le corps supérieur peut présenter des sections ajourées et d'autres fermées par des vitrines pour la vaisselle. De nombreux modèles sont divisés en trois parties, celle du centre plus haute que les latérales.

◆ MEUBLES COMPOSITES. Il s'agit de meubles combinant deux ou trois usages, destinés à un public petit bourgeois confronté à des problèmes d'espace. Par exemple, des sièges avec des sortes d'étagères sur lesquelles poser un bibelot ; ou un petit sofa incorporé dans une vitrine, ou encore un canapé placé entre deux petits meubles et pourvu d'un large dossier abritant, dans sa partie supérieure, un miroir encadré.

◆ TOILETTE. Meuble féminin par excellence, il donne une impression de légèreté, avec des pieds plutôt fins, de petits tiroirs et un plateau sur lequel est placée une glace, souvent enrichie de deux autres miroirs latéraux. Elle n'apparaît jamais chargée de décorations.

CARACTÉRISTIQUES DE L'ART NOUVEAU

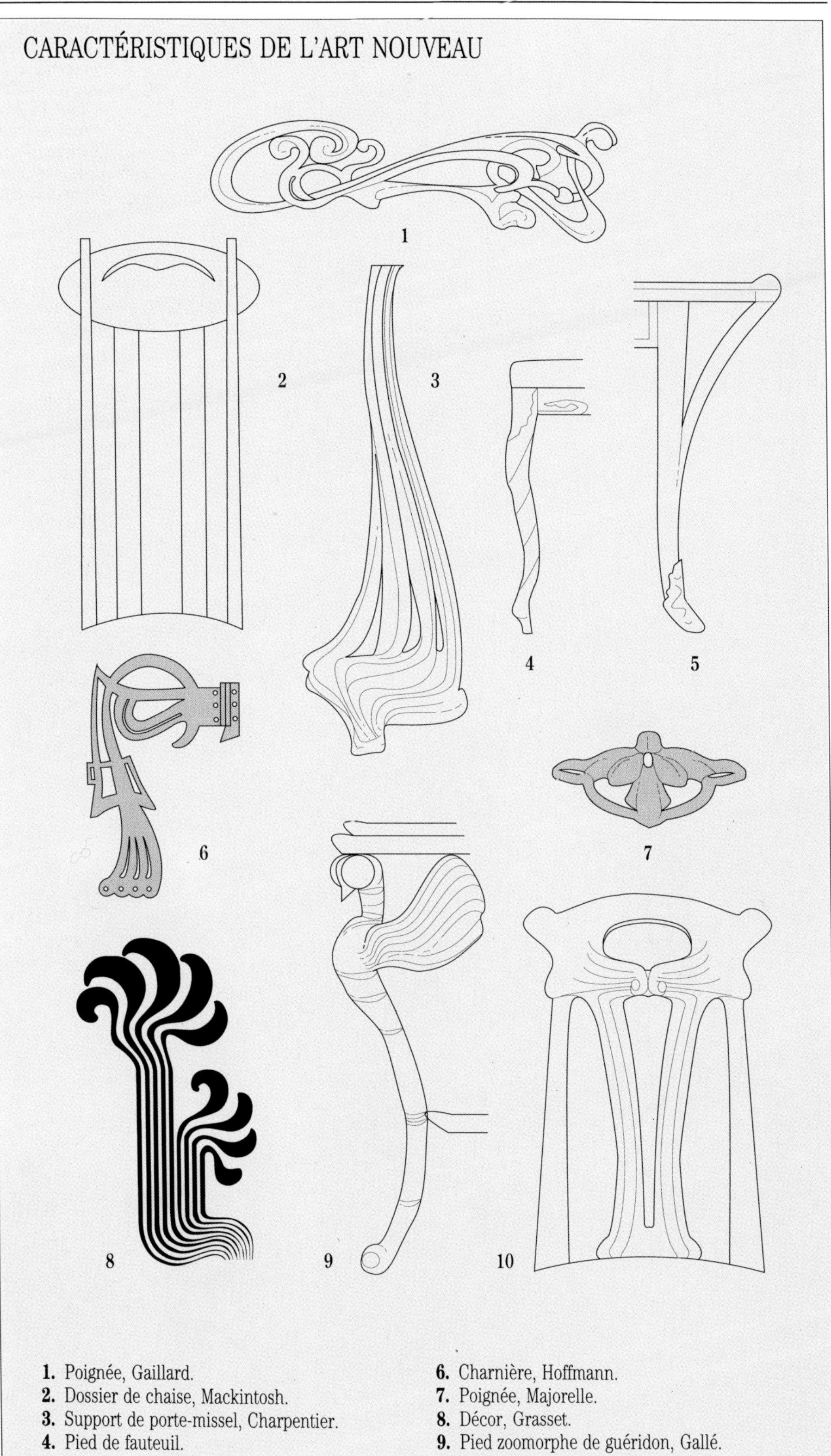

1. Poignée, Gaillard.
2. Dossier de chaise, Mackintosh.
3. Support de porte-missel, Charpentier.
4. Pied de fauteuil.
5. Pied de secrétaire, Colonna.
6. Charnière, Hoffmann.
7. Poignée, Majorelle.
8. Décor, Grasset.
9. Pied zoomorphe de guéridon, Gallé.
10. Dossier de chaise, Gaillard.

ART DÉCO
(première moitié du XXe siècle)

◆ Baptisé parfois « style 1925 », l'Art déco tire son nom de l'Exposition internationale des arts décoratifs et industriels modernes, qui s'est tenue en 1925 à Paris. A cette exposition, à côté de tendances fortement novatrices comme l'Esprit nouveau de Le Corbusier, on voit apparaître, tant dans l'ameublement que dans les objets caractéristiques de ce style, des formes élégantes et solides, des couleurs vives et des lignes simplifiées, ainsi qu'une profusion de décors : figures féminines, cerfs, fontaines, vagues, compositions florales, petites étoiles, palmettes. Le large usage de matériaux rares et coûteux fait de l'Art déco un style luxueux et, en raison du prix élevé des produits

manufacturés, souvent réservé à de riches commanditaires ; la production ne concerne pas seulement les meubles, les tapis, les tapisseries et objets précieux, mais également les bijoux, les vêtements, les affiches et illustrations qui contribuent à la popularité de ce style, apprécié également des classes moyennes.

L'influence du modernisme

Les aspirations au renouveau qui se font jour au tout début du XXe siècle correspondent – ne serait-ce que parce qu'elles en sont en grande partie la continuation – aux deux tendances esthétiques du modernisme telles qu'elles sont exprimées dans l'Art nouveau : l'orientation géométrique-rationnelle, intéressée par la production industrielle, et le courant ornemental, très lié à l'artisanat et manifestant un intérêt évident pour les styles du passé. L'Art déco touche aux deux tendances et, selon l'artiste concepteur, privilégie l'une ou l'autre. La naissance de mouvements artistiques explosifs – comme le Cubisme (1907), le Futurisme (1909), l'Expressionnisme (1909) – et l'amorce d'expériences révolutionnaires dans le domaine de l'architecture et du design, comme le Deutscher Werkbund allemand (1907), qui sera suivi du groupe De Stijl (1917), du Bauhaus (1919) et de l'Esprit nouveau (1925), font bien comprendre tout l'extraordinaire bouillonnement de ces années-là. Afin de rétablir la suprématie française dans les arts décoratifs, alors nettement en baisse, on envisage une grande exposition pour 1915, qui ne devra accueillir que les

Page ci-contre, en haut. Armoire. *Caractérisé par un très important décor floral marqueté en bois d'amarante et ivoire, ce modèle de Ruhlmann (1922) s'impose par la grâce de ses lignes.*

Page ci-contre, en bas. Bureau. *Réalisé en 1923 par Ruhlmann, ce bureau féminin possède une grâce typiquement XVIIIe, soulignée par les pieds et les applications en ivoire du profil.*

Ci-dessous. Guéridon « Schroeder ». *Dessiné en 1922-1923 par Rietveld, ce petit guéridon caractéristique de la poétique De Stijl présente un libre entrecroisement de surfaces vivement colorées.*

En bas. Table. *Dessinée par Mackintosh en 1918, cette table ovale, avec plateau pliant, témoigne de l'influence sur le déco de l'Art nouveau de ligne rationnelle.*

œuvres de style « nouveau ». Le projet, ajourné pour cause de guerre, ne sera réalisé qu'en 1925, avec le triomphe, entièrement français, de l'Art déco.

Les caractéristiques de l'Art déco

A y regarder de plus près, l'Art déco apparaît comme un phénomène composite, dont les éléments caractéristiques puisent à des sources diverses, mais se mêlent avec une grande habileté. Du Cubisme dérivent des formes massives et carrées, avec de brusques incorporations de courbes ; les couleurs vives et contrastées sont un écho de la peinture fauve et expressionniste ; l'usage de décors géométriques élémentaires, comme le cercle et le carré, proviennent de la Sezession autrichienne ; l'emploi de l'acier chromé

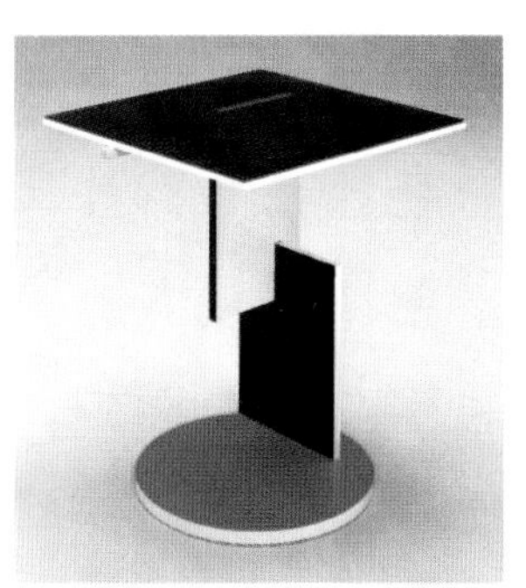

et du verre est typique du rationalisme. On peut ajouter à ce vaste panorama la claire référence aux styles du passé de certains ébénistes d'inspiration traditionaliste. Une caractéristique de l'Art déco est le retour au grand artisanat ; les techniques anciennes sont remises à l'honneur, comme la laque hors de prix, remplacée dans les pièces moins précieuses par le vernis synthétique de production industrielle. Les meubles peuvent être paillés, vernis, polis, marquetés ou, comble de raffinement, recouverts de parchemin et de peaux d'animaux, comme le galuchat (peau d'un petit squale de la Méditerranée, ainsi appelée du nom de son premier utilisateur) ou la peau de poulain et de serpent.

Grands ébénistes : les traditionalistes

La redécouverte du goût du meuble beau et précieux entraîne la réapparition de l'ébénisterie française, grâce à quelques artistes exceptionnels qui renouent avec la tradition, dont Ruhlmann, Iribe, Groult, Mare et Süe. Émile Jacques Ruhlmann (1869-1933), considéré par beaucoup comme l'héritier du grand Riesener, est le triomphateur de l'Exposition des arts décoratifs de 1925 et le plus

Ci-dessous. Petit coffre. *Dessiné vers 1930 par l'architecte viennois Otto Prutscher, ce petit meuble révèle une exploitation très raffinée des veinures du bois, qui dessinent des décors sophistiqués.*

En bas, à gauche. Fauteuil. *Ce fauteuil en palissandre de Coard, recouvert en partie de parchemin (années 20), témoigne des influences cubistes dans la forme et le montage des parties.*

En bas, à droite. Chaise « Roquebrune ». *Dessinée en 1932 par Gray, cette chaise à tiges métalliques, revêtue de cuir naturel, offre un exemple de la technique avancée et de l'élégance de la production de l'artiste.*

grand ébéniste de l'Art déco ; ses meubles, qui représentent un mélange élégant du présent et du passé, se caractérisent par des formes simplifiées et des décors d'une modernité raffinée. Ses commodes, coiffeuses, bureaux, armoires, fauteuils sont reconnaissables à leur exécution, qui est extraordinairement soignée, et à leur grâce empreinte de légèreté, à la simplicité de la forme et à l'utilisation modérée des motifs décoratifs : lignes verticales d'une grande finesse, bandes en ivoire, plaques et poignées qui ressortent sur les fonds d'ébène ou de palissandre. Les pieds des meubles hauts sont souvent fins et rétrécis vers le bas, les armoires ont en revanche un aspect plus massif et géométrique, à peine atténué par le couronnement garni de minuscules galeries de bronze. Paul Iribe (1883-1935) cherche, plus que d'autres, à renouer avec les styles du passé ; ses meubles sont tous caractérisés par des couleurs claires et des contrastes de tons, des surfaces recouvertes de galuchat, des formes larges et enrichies d'incrustations et de sculptures ; la rose constitue son motif décoratif le plus connu. Les meubles d'André Groult, bien qu'ils soient inspirés de la tradition française du XVIIIe siècle, opèrent une synthèse personnelle, dans

Meuble à deux corps. *Réalisé en 1925 par Groult, il affecte une forme massive, allégée dans la partie supérieure légèrement en retrait. La surface est entièrement recouverte de galuchat de couleur verte.*

laquelle les larges courbes baroques acquièrent souvent une solidité quasiment cubiste ; un grand nombre sont recouverts de galuchat orné de fines incisions géométriques. Les noms d'André Mare (1887-1932) et de Louis Süe (1875-1968) sont liés à l'importante activité de la Compagnie des arts français, qu'ils fondent en 1919 avec d'autres dessinateurs de meubles. Désireux au départ de produire un mobilier plus accessible au goût des classes moyennes, leur production s'oriente alors vers une reproposition des formes très traditionnelles du style Louis-Philippe, opportunément renouvelées, auxquelles ils empruntent une netteté de structure et de gracieux décors.

Grands ébénistes : les progressistes

Le courant moderne de l'Art déco est constitué par ceux qui rejettent toute référence aux styles du passé ; on retiendra notamment parmi les designers les plus importants de cette période les noms de Chareau, Coard, Legrain et Gray. Les meubles de Pierre Chareau (1883-1950) témoignent de son intérêt pour les éléments structurels et pour les matériaux insolites comme le bois de palmier, le laminé d'acier produit en bandes minces et généralement utilisé pour les emballages, le cuir, l'osier (utilisé dans la fabrication de meubles d'enfants), souvent mélangés afin d'obtenir des solutions et des effets spéciaux. Le mobilier a un aspect très solide, parfois anguleux, adoptant des formes nettes qui font penser au Cubisme ; contrairement aux autres architectes d'inspiration rationaliste, Chareau n'utilise jamais de structures tubulaires en acier chromé. Marcel Coard (1889-1975) ne refuse pas les suggestions de l'avant-garde, comme en témoignent certains de ses fauteuils, dans lesquels les divers éléments, comme rembourrage, accotoirs, pieds, sont montés à la façon des « collages » cubistes, différenciés par la forme, les matériaux et la couleur ; mais il fournit également à sa clientèle des meubles beaucoup plus traditionnels, avec de très évidentes références aux style du passé. Pierre Legrain (1889-1929) propose dans ses meubles une vision plus primitive ; les formes sont, en effet, rythmées avec

Ci-dessous. Guéridon. *Exécuté vers 1923 par Legrain, ce petit meuble emprunte au Cubisme les volumes de l'ensemble et à l'Art nègre ses lignes schématiques.*

En bas. Chaise. *Dû au futuriste Depero, ce siège d'une extrême originalité utilise une juxtaposition de formes géométriques simples, caractéristiques de l'œuvre de l'artiste.*

une simplicité rude et plastique, les contrastes de couleurs tranchés, sans aucune concession à la séduction typique de l'Art déco. Cubes, parallélépipèdes, cloisons verticales et horizontales s'encastrent avec force, comme dans la rigide chaise longue de 1925, à cheval entre l'art « nègre » et le Cubisme des origines. Irin Eileen Gray est, en revanche, intéressé par une conception élégante et techniquement plus avancée : après avoir exécuté diverses pièces d'ameublement et des objets laqués, il oriente sa recherche vers l'étude des matériaux – verre, acier, aluminium, celluloïd –, qui lui permettent de dessiner des meubles dans lesquels l'élément technique se trouve toujours filtré par une grâce légère et par une fantaisie vraiment incomparable.

La situation italienne : artistes et architectes

Au début des années 20, après la phase Liberty, l'Italie apparaît marquée par le retour aux modèles de l'Éclectisme tardif de la fin du XIXe siècle. Même si la graine moderniste n'a pas complètement disparu,

Les meubles recouverts de peaux

L'usage des peaux tannées dans le mobilier trouve un très intéressant domaine d'application dans les meubles que l'on recouvre ou encore que l'on décore de ces divers matériaux : parchemin, cuir, galuchat. Pour le parchemin, on utilise la peau de mouton ; pour le cuir, celle de chèvre, de mouton, de veau. Et toute la différence réside dans le tannage, qui, pour le cuir, est à l'alun, à l'huile et, plus souvent, au tanin. La surface très lisse et transparente du parchemin est obtenue, en revanche, selon une technique plus compliquée, qui prévoit la macération et le raclage de la peau, puis le séchage et enfin le polissage. Le galuchat est également très utilisé : tiré d'un petit squale de la Méditerranée, il subit à peu près la même préparation que celle qui est appliquée au parchemin. Ces matériaux peuvent être colorés, puis appliqués à l'aide de colles spéciales sur tout ou partie du bois. Le décor sur les surfaces du meuble est obtenu en transférant dessins et motifs ornementaux selon le procédé de la sérigraphie ou de la pyrogravure, consistant à graver un dessin à l'aide d'une plume métallique portée au rouge.

Ci-dessous. Fauteuil « Transat ». *Dessiné en 1927 par Gray, ce fauteuil en rouvre comporte un repose-tête et un siège en chanvre matelassé. Le dessin est toujours actuel.*

En bas. Fauteuil. *Conçu vers 1936 par Wright, ce petit fauteuil en tube métallique verni présente une composition excentrique très proche de certaines formules Art déco.*

grâce aux meubles de Giulio Arata, Giacomo Cometti et Mario Quarti (qui poursuit l'activité de son père Eugenio), c'est probablement à un certain nombre d'artistes que l'on doit la production la plus novatrice et la plus radicale, mais qui reste circonscrite, et donc de faible influence. Giacomo Balla (1871-1958) dessine et décore à partir de 1912 des meubles, mais aussi des vêtements et des céramiques extrêmement personnelles, dans lesquelles la partie peinte (compositions abstraites ou florales) se mêle aux éléments horizontaux et verticaux mixtilignes. Balla fabrique ainsi armoires, chaises, berceaux, tables et paravents dans un style qui est indéniablement futuriste, mais en utilisant des éléments caractéristiques de l'Art nouveau et préfigurant les joyeuses explosions déco. Duilio Cambellotti (1876-1960), très actif également dans d'autres domaines des arts appliqués, est conduit au dessin de meubles par son vif intérêt pour le monde rural, dont il repropose, dans des formes carrées et assez austères, des bancs, huches, tables, buffets et armoires enrichis d'incrustations sommaires

d'ivoire et de verre peint. C'est à un monde plus exubérant et joyeux qu'appartiennent les meubles de Fortunato Depero (1892-1960), dont les géométries simplifiées et massives sont rehaussées d'abondants décors aux couleurs criardes et éclatantes, auxquelles l'influence de Balla n'est pas étrangère, et qui s'inscrivent de plein droit dans le monde luxuriant de l'Art déco. Parmi les artistes qui se sont consacrés au dessin de meubles, il ne faut pas oublier de citer Enrico Prampolini (1894-1956) : dans les années 1925-1926, il exécute une série de pièces de mobilier destinées à sa maison et caractérisées par une plasticité monumentale ; les tables et les sièges, composés de solides emboîtages géométriques, sont peints de couleurs diverses, de façon à en souligner l'épaisseur et à mettre en valeur l'assemblage des différentes formes. A mi-chemin entre les positions des artistes et celle des architectes se situe l'œuvre d'Ivo Pannaggi (1901-1981) : influencé par le Futurisme, par le Néo-Plasticisme et par le Bauhaus, il exprime dans le mobilier de la maison Zampini, à Esanatoglia (Macerata), la quintessence de la réalisation d'intérieurs inspirés de l'avant-garde ; les espaces développent des formes et des atmosphères différentes selon la fonction de chaque pièce. La chaise de l'*anticamera* (antichambre) est composée de plans colorés qui

Cabinet. *Exécuté vers 1930 d'après un dessin de Buzzi, ce petit meuble se caractérise par sa ligne élégante et ses pieds gracieux se terminant par une légère courbe.*

s'emboîtent dans un style parfaitement néo-plastique, tandis que les meubles de la *cameraletto* proposent des solutions plus proprement déco. Avec l'intérêt renouvelé pour les arts appliqués, dont témoigne la création de la Biennale de Monza en 1923, transformée par la suite en Triennale et alors déplacée à Milan, toute une génération d'architectes aborde la conception de meubles, encore à mi-chemin entre la pièce unique et la production

ÉMILE-JACQUES RUHLMANN
(1879-1933)
Considéré comme le plus important ébéniste et décorateur français des années 20. Ses meubles, d'exécution toujours impeccable, sont inspirés des styles du passé et, cependant, imprégnés d'une sensibilité moderne.

ANDRÉ GROULT
(1884-1967)
L'un des designers français les plus connus ; il commence à exposer ses meubles dès 1910, élaborant un style très personnel, dans lequel sont présentes des références au XIX*e* *siècle. Ses formes larges et élégantes sont souvent revêtues de galuchat. La* Chambre de Madame, *très connue, a été présentée à l'Exposition de 1925.*

PIERRE CHAREAU
(1883-1950)
Architecte et designer français, il fonde en 1930, avec d'autres concepteurs, l'Union des artistes modernes. Sa Maison de verre *compte parmi ses plus célèbres pièces de mobilier, caractérisées notamment par l'emploi de matériaux de production industrielle.*

IRIN EILEEN GRAY
(1879-1976)
Designer d'origine anglaise, il œuvre à partir de 1902 en France, où il s'impose alors en créant une série de meubles laqués. Il dessine ensuite des modèles techniquement très en avance, faisant un large usage de tubes d'acier.

GIÒ PONTI
(1891-1979)
Architecte et designer, sa passion des arts appliqués le conduit à dessiner des meubles caractérisés par une ligne simple et élégante. Il fonde – en 1928 – et dirige jusqu'à sa mort la revue Domus, *dans laquelle sont débattus les thèmes du rapport existant entre architectes, artistes et production industrielle.*

◆ TABLES. Meubles importants, elles ont un piétement robuste et une base reliée au plateau par des éléments courbes ou carrés ; on rencontre aussi des modèles à support central. Les décors peuvent être constitués de fins filetages ou d'incrustations linéaires en ivoire. Les formes sont surtout rondes et ovales, mais les tables rectangulaires sont également très appréciées.

◆ CHAISES. Elles sont généralement jolies et confortables. Dossiers et sièges sont rembourrés, tandis que les pieds, toujours à section carrée, sont droits ou légèrement évasés. Les chaises dessinées par des artistes d'avant-garde proposent, en revanche, des formes massives et géométriques, avec emboîtages apparents et structures en acier chromé.

◆ FAUTEUILS. Ils ont des dossiers enveloppants, des bras hauts et carrés, reliés aux pieds avant par de larges courbes ; ils sont presque toujours rembourrés et recouverts de tissu décoré de sim-

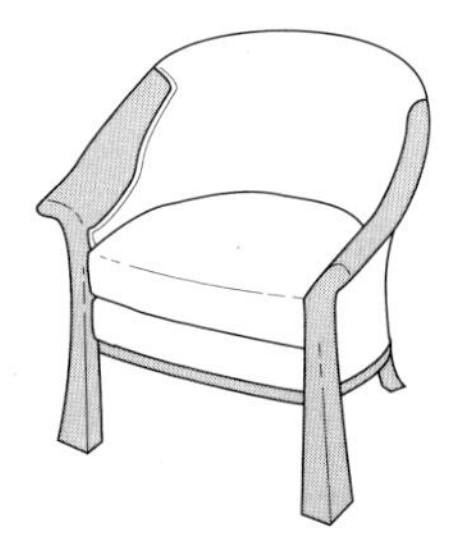

Chiffonnier. *Dessiné par Ponti en 1930, ce meuble met en évidence la sobriété géométrique d'origine néo-classique, très caractéristique de l'auteur. Recouvert de parchemin, il a des profils en palissandre.*

industrielle. Son chef de file est Giò Ponti, extraordinaire figure de dessinateur et aussi organisateur culturel ; il adhère, dans les années 20, au renouveau du goût et dessine une série de meubles empreints d'une élégance tout à fait Art déco, mais très clairement inspirés du monde néo-classique, auquel il emprunte également des éléments décoratifs synthétiques incrustés en fils minces ou appliqués en bronze doré. Emilio Lancia, Tommaso Buzzi, Giovanni Muzio et Piero Portaluppi dessinent aussi des meubles, qui se révèlent d'un intérêt particulier.

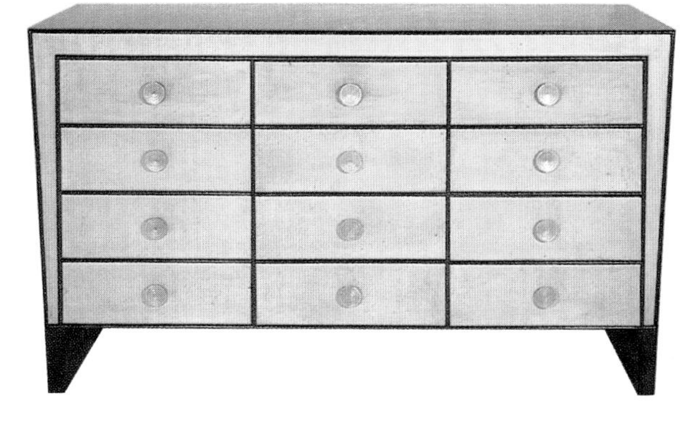

L'Art déco en Amérique

Répandu aux États-Unis au lendemain de l'énorme succès remporté par l'Exposition de 1925, l'Art déco devient bientôt le style qui incarne le mieux l'esprit américain des années 20 et d'une grande partie de la décennie suivante. Les éléments décoratifs déco les plus typiques, comme la fontaine jaillissante, la spirale, l'étoile, les lévriers, la palme et une série de figures féminines très stylisées, à l'élégante forme allongée, deviennent rapidement populaires, se répandant dans toutes les couches sociales. La construction de quelques-uns des plus hauts gratte-ciel de New York se conforme souvent aux principes stylistiques de l'Art déco, comme le prouve le Crysler Building (1928), dont la flèche et l'ameublement de nombreux appartements sont considérés comme étant le véritable symbole de l'Art déco américain. L'Empire State Building (1930) et le Rockefeller Center, dans lequel est situé le fantasmagorique Radio City Music Hall, œuvre de Donald Deskey, constituent probablement l'exemple le plus réussi des décors dans ce style, avec des meubles en bois, acier, verre et aluminium aux formes solides et très élégantes. Tout en restant

ples dessins géométriques ou floraux, ou de peau, faisant toujours ressortir le contraste de couleur entre bois et revêtement (*voir* figure). Les fauteuils les plus modernes soulignent souvent la combinaison des divers éléments formels à l'aide de couleurs et de matériaux différents, sans toutefois sacrifier au confort.

◆ Cabinet. Il conserve du passé l'aspect de meuble de rangement fermé par des vantaux et la forme des pieds, fins et légèrement incurvés. Comme il s'agit d'une pièce spéciale, il est souvent laqué ou recouvert de cuir, de galuchat ou de parchemin, qui en font un objet de luxe. Dans les modèles les plus originaux, les formes se gonflent et les pieds sont remplacés par une base curviligne.

◆ Commode. La forme de ce meuble important et traditionnel s'apparente souvent aux modèles du XVIIIe siècle, avec les pieds en cabriole et le corps légèrement bombé (*voir* figure) ; la façade peut être garnie de tiroirs ou de vantaux. Dans les formes plus modernes, la commode revêt un aspect plus massif et carré, les pieds sont remplacés par une base et de larges supports. Souvent revêtue de galuchat ou de parchemin, elle est décorée de dessins géométriques et floraux réalisés en sérigraphie ou selon la technique de la pyrogravure. Certaines sont laquées.

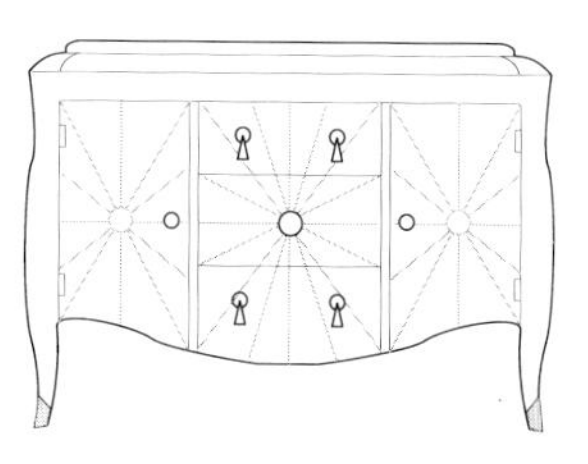

A gauche. Chaise « Barrel ». *Cette chaise en tonneau, conçue par Wright en 1907, a été redessinée en 1937 par le grand architecte dans une version moins massive et plus proche du goût déco.*

A droite. Fauteuil « Vanity Fair ». *Dessiné en 1930, ce célèbre fauteuil est à la fois confortable et d'une grande élégance stylisée. Exécuté en hêtre, il est recouvert de cuir.*

fidèles à leur vision esthétique originale, certains grands architectes américains se montrent séduits par la délicate élégance déco. C'est le cas de Frank Lloyd Wright (1867-1959) : après avoir dessiné des meubles caractérisés par une structure robuste et une fonctionnalité anguleuse, il adoucit ces lignes entre les années 20 et la fin des années 30, créant des formes plus ouvertes et aussi plus gracieuses, comme en témoigne la nouvelle version du petit fauteuil conçu en 1907 pour la maison Martin et redessiné en 1937, et le fauteuil en tube métallique verni, créé entre 1936 et 1939 pour les bureaux de la Johnson Wax, et dont les formes contiennent d'évidentes suggestions de style déco.

◆ Bureaux. Très répandus dans la version « masculine », le bureau (*voir* figure), massif et articulé, adopte une forme plus « féminine » ; il devient plus petit et plus gracieux. Il comporte toujours des tiroirs dans les parties latérales, laissant ainsi le plateau libre ; il peut être réalisé entièrement en bois, ou avec des parties en aluminium et en acier. Les pieds sont hauts et le dessus, droit ou curviligne, comprend une série de petits tiroirs.

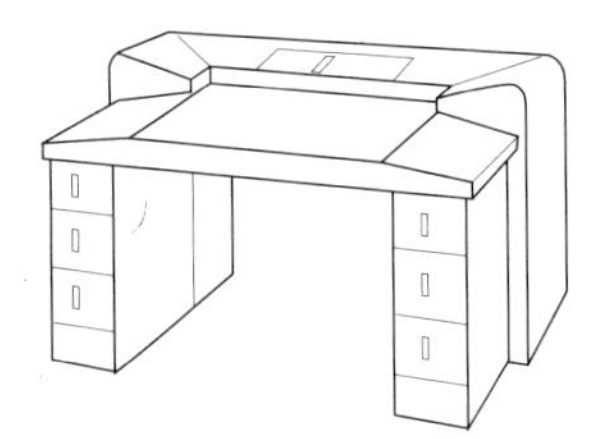

◆ Meubles de Toilette. Typiquement féminins, ils sont présentés en de nombreuses variantes de forme et de combinaison des divers éléments. Les modèles les plus répandus sont en laque de teintes délicates, tandis que les formes rappellent les schémas du XVIIIe siècle : pieds hauts, miroir fixe (*voir* figure) ou posé sur une porte rabattable et petits tiroirs aménagés dans le corps du meuble ou sur le dessus. Il existe de nombreux modèles à un ou deux corps, avec une série de tiroirs.

CARACTÉRISTIQUES DE L'ART DÉCO

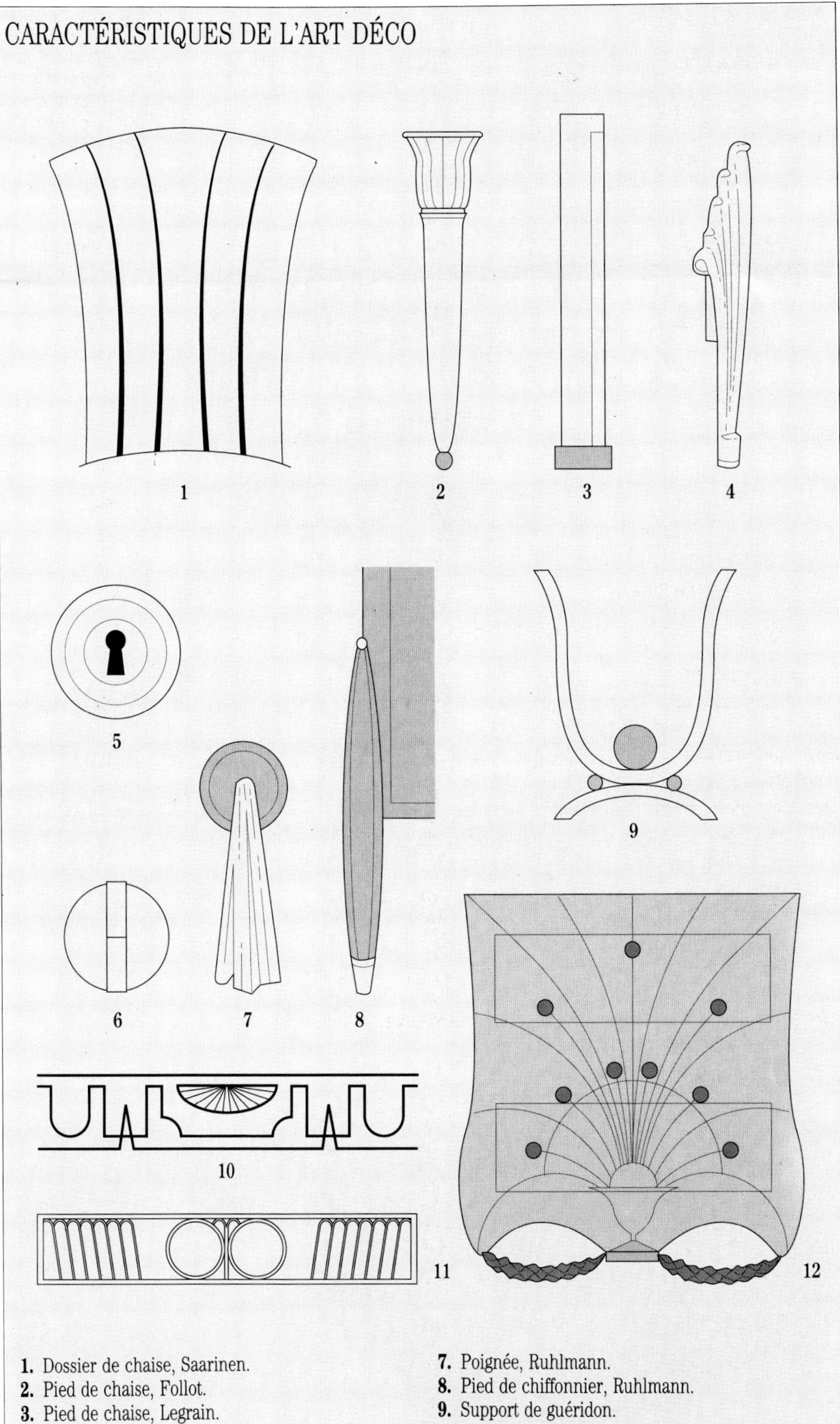

1. Dossier de chaise, Saarinen.
2. Pied de chaise, Follot.
3. Pied de chaise, Legrain.
4. Pied de cabinet, Süe et Mare.
5. Plaquette de serrure, Hoffmann.
6. Charnière, Mergier.
7. Poignée, Ruhlmann.
8. Pied de chiffonnier, Ruhlmann.
9. Support de guéridon.
10. Décor pour bureau, Ponti.
11. Décor pour meuble-vitrine, Hoffmann.
12. Décor pour chiffonnier, Iribe.

MOUVEMENT MODERNE
(des années 20 aux années 50)

◆ En 1917, avec la création du mouvement hollandais De Stijl par un groupe de peintres, sculpteurs et architectes, les bases sont jetées pour un renouvellement radical du concept d'habitation. Ainsi les espaces ne sont plus considérés comme fermés, les parois deviennent des surfaces autonomes, toujours reliées à angle droit, selon une disposition libérée de la structure de l'édifice. Pour cet espace dynamique et rigoureux, dominé par des couleurs primaires comme le rouge, le bleu et le jaune juxtaposés au blanc et au noir, on dessine des meubles aux formes novatrices et explosives. Deux artistes appartenant à ce courant, fondé sur les conceptions néo-plastiques de Piet Mondrian, s'illustrent particulièrement : Theo Van Doesburg (1883-1931), qui en est aussi le principal divulgateur, et Gerrit Thomas Rietveld (1888-1964). Les meubles de Rietveld sont conçus d'une façon entièrement nouvelle : d'une exécution très simplifiée, ils se prêtent à merveille à la fabrication en série. Chaises, tables, armoires, fauteuils résultent de l'assemblage de montants carrés et d'éléments plats, comme le célèbre fauteuil « Rouge et Bleu » de 1919, dont la structure se passe d'emboîtages. Par la suite, l'expérimentalisme de Rietveld s'oriente aussi vers d'autres matériaux, tel l'acier chromé tubulaire, et définit de nouveaux modèles comme l'originale chaise « Zig-Zag » (1934), composée de quatre éléments seulement.

La naissance du Bauhaus

En 1919, sur les indications de Van de Velde, Walter Gropius (1883-1969) est appelé à Weimar pour diriger le Bauhaus, une école d'art destinée à jouer un rôle véritablement fondamental dans le développement du mouvement moderne. Inspiré des théories et des productions du Werkbund, le Bauhaus cherche à concilier les procédés artisanaux et la production industrielle, n'identifiant pas seulement dans la figure du dessinateur un artiste créateur de formes, mais aussi un expert en matériaux et techniques. Le mobilier dessiné au Bauhaus applique le fameux axiome : « la forme suit la fonction », adopté pendant des décennies par une myriade de designers. Marcel Breuer est la figure qui incarne le mieux les théories mises au point par Gropius. En 1925, il conçoit l'un de ses meubles les plus fameux,

Page ci-contre, en haut. Fauteuil « Wassily ». *Conçu en 1925 par Breuer, il est considéré comme le premier siège réalisé en tube d'acier. Sa forme, parfaitement rationnelle, reste très appréciée.*

Page ci-contre, en bas. Chaise « Zig-Zag ». *Dessinée en 1934 par Rietveld, cette curieuse chaise en cerisier naturel est composée de quatre surfaces planes reliées dans une succession rythmique. La marque De Stijl est manifeste.*

Ci-dessous. Fauteuil « Rouge et Bleu ». *Considéré comme le manifeste du groupe De Stijl, ce célèbre fauteuil de Rietveld, conçu vers 1919, se passe entièrement d'emboîtages.*

En bas. Chaise « Cesca ». *Conçue par Breuer en 1928 et aujourd'hui encore très répandue, elle est en tube d'acier, avec une structure en porte-à-faux, qui la rend très confortable.*

le fauteuil « Wassily », pourvu d'une structure tubulaire en acier chromé, tandis que le siège, les bras et le dossier sont d'abord en tissu, puis en cuir. La légèreté, la transparence de la forme et la souplesse de la structure, telles sont les caractéristiques essentielles du fauteuil « Wassily », dans lequel certaines suggestions De Stijl sont reconnaissables. L'usage du tube métallique constitue l'un des traits distinctifs de la conception progressiste de ces années-là et de l'International Style naissant. On ne sait pas de façon certaine qui a utilisé en premier le tube (probablement Breuer) ; en effet, Mart Stam (1899-1986), très proche des idées du Bauhaus, dessine lui aussi en 1926 une chaise, produite sous l'appellation « S 34 », caractérisée par l'absence de pieds avant et une exécution qui met à profit la souplesse d'un unique tube d'acier coudé. C'est le début d'une diffusion qui ne s'arrêtera plus : des centaines de concepteurs dessinent, expérimentent et produisent des meubles métalliques qui deviennent le symbole du style fonctionnel préconisé par Walter Gropius. De même, l'architecte suisse Ludwig Mies van der Rohe (1886-1969) – qui dirige le Bauhaus à partir de 1930 après que l'école a été contrainte pour des raisons politiques de s'installer à Dessau – dessine des meubles en métal chromé d'une rare élégance. C'est le cas, par exemple, de la chaise à bras, modèle « D 42 » de 1927, que sa large courbure rend extrêmement commode, ou encore des extraordinaires petits fauteuils dessinés pour le pavillon allemand à l'Exposition internationale de Barcelone de 1929, dotés d'une fine structure en acier en forme de X, sur laquelle reposent deux coussins recouverts de cuir. Après une première période d'expérimentations et de productions liées à de petits ateliers, le succès des meubles métalliques est assuré par la fabrique Thonet (déjà célèbre pour son mobilier en hêtre ployé), qui décide de produire en grande série la chaise « MR » de Mies van der Rohe et les meubles de Stam.

L'International Style

A la fin des années 20, une fois apaisées les provocations des courants d'avant-garde les plus radicaux, un autre style voit le jour ; tout en reflétant les évidentes diversités des écoles nationales, il témoigne d'une sensibilité commune à l'égard de la production industrielle, des nouvelles techniques, des formes claires et ordonnées,

Fauteuil « Barcelone ». *Exécuté en 1929 par Mies van der Rohe pour l'Exposition internationale de Barcelone, il est formé de deux bandes d'acier qui s'entrecroisent ; le siège est en cuir capitonné.*

inspirées de conceptions spatiales non plus fermées, mais ouvertes et fluides. L'existence de ce style est consacrée par une exposition organisée en 1932 au Museum of Modern Art de New York, par H.R. Hitchcoch et P. Johnson, portant le titre significatif d'International Style Architecture since 1922. Pour la première fois, un mouvement, au sein duquel œuvrent des dessinateurs de l'envergure de Gropius, Le Corbusier, Oud, Breuer, Mies van der Rohe ou Aalto, acquiert alors un souffle international. Le mobilier, créé pour le pavillon de Barcelone par Mies van der Rohe, peut être considéré, avec d'autres meubles qu'il réalisera par la suite, comme un véritable fondement de l'International Style ; mais il faut dire que leur fortune a coïncidé avec la diffusion, après les années 40, d'un certain type de mobilier de bureau, dont ils ont offert un modèle. Alors que l'Exposition de Paris de 1925, où Le Corbusier aménage le pavillon de l'Esprit nouveau, est à l'origine du succès de l'Art déco, les meubles signés par l'architecte suisse sont présentés, dans un esprit de provocation, non pas comme des produits des arts appliqués, mais plutôt comme un prolongement de l'architecture, et définis par l'auteur comme des « équipements ». Ainsi naissent les casiers standards, éléments de rangement multicolores, constitués par des modules équipés d'étagères, de vantaux, de vitrines ou de tiroirs que l'on peut combiner d'innombrables façons : ils peuvent être accrochés au mur, posés sur le sol ou servir à diviser un intérieur. Parmi les rares meubles dessinés par Le Corbusier, la chaise longue réglable de 1928 est très célèbre, avec sa structure en fer et tubes en acier chromé, tendue de tissu ou de peau de poulain. Il faut signaler aussi le fauteuil grand confort de 1929, dessiné à l'instar d'un cube composé d'une structure tubulaire et d'une série de coussins en cuir rembourrés de duvet. Après la Seconde Guerre mondiale, l'International Style devient un phénomène presque exclusivement américain, suite à l'émigration aux États-Unis de nombreux architectes européens, comme Gropius, Mies van der Rohe et Breuer, principaux artisans de ce style. Dans les années 50, toutefois, l'International Style se propage à nouveau dans une Europe occupée à reconstruire

En bas. Table et chaises. *Elles ont été dessinées par Oud, en 1927. La table, de ligne simple et raffinée, a des pieds en tube d'acier et un plateau en plusieurs couches.*

Ci-dessous. Chaise longue. *Dessinée par Le Corbusier en 1928, elle comporte un siège réglable et un galbe adapté à la position du corps ; elle est pourvue d'un repose-tête cylindrique.*

En bas. Table « LC6 ». *Conçue en 1928 par Le Corbusier, elle possède une structure en acier.*

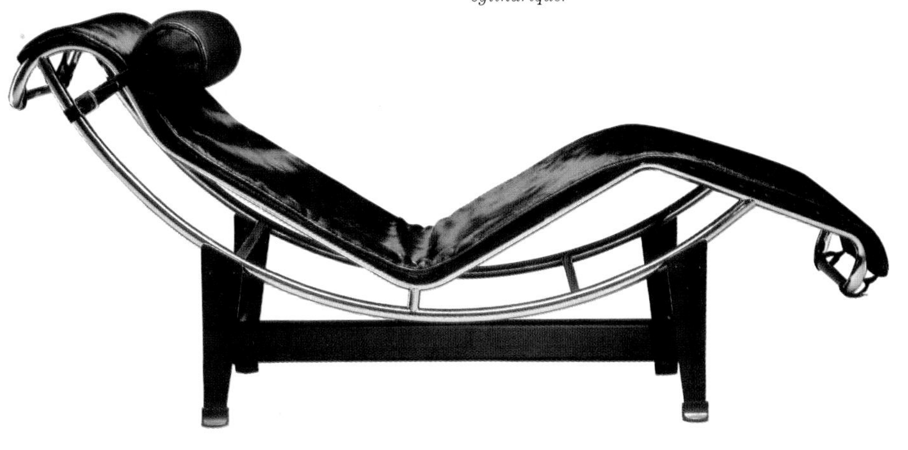

tout ce qui a été détruit par la guerre, et qui semble apprécier la netteté rationnelle des architectures et des meubles de Mies van der Rohe et de Gropius, adaptant les espaces intérieurs au style aride et fonctionnel de l'acier chromé, toujours le matériau le plus en usage. La très profonde transformation culturelle survenue dans les années 60 marque la fin inéluctable de ce style.

Le mobilier scandinave

Considéré comme marginal et déprécié jusqu'aux années 40, le design des pays scandinaves (Suède, Norvège, Finlande et Danemark) s'affirme dans le monde entier grâce à certaines caractéristiques qui en font quelque chose d'unique, tant sur le plan de la forme que sur celui de la fabrication. Lié à une tradition de qualité artisanale bien enracinée, le mobilier scandinave de série ne renonce pas à allier confort et élégance. Il obtient un grand succès avec son aspect plat et fonctionnel, sans excès de fantaisie, mais reflétant un amour pour les matériaux, surtout le bois, qui se transmet ainsi intact à son utilisateur. Le niveau moyen élevé de la production scandinave n'empêche pas l'affirmation de grands designers comme Kaare Klint, Arne Jacobsen et

Ci-dessous. Casiers standards. *Conçus par Le Corbusier en 1925 pour le pavillon de l'Esprit nouveau, ces éléments de rangement peuvent se combiner en fonction de l'espace disponible.*

En bas, à gauche. Chaise. *Le naturel et l'extrême netteté formelle sont les qualités principales de cette chaise en bouleau ployé, dessinée entre 1929 et 1935 par Aalto.*

En bas, à droite. Fauteuil « Œuf ». *Conçu par Jacobsen en 1959, il a une forme enveloppante typique sur une base pivotante et basculante. Le tabouret repose-pieds en augmente le confort.*

Alvar Aalto. Le Danois Kaare Klint (1888-1954) représente sous des formes modernes la continuité de la tradition ; dans ses meubles en teck, l'étude de l'espace intérieur en fonction des objets appelés à y trouver place est tout particulièrement significative. Arne Jacobsen (1902-1971), danois comme Klint, remporte un vif succès en 1952, avec une chaise à trois pieds en tube chromé, dont le siège est en contre-plaqué de hêtre. De 1959 datent les fauteuils « Œuf » et « Cygne », à la forme synthétique et enveloppante : le rembourrage est en caoutchouc mousse, recouvert de tissu ou de cuir, tandis que la base métallique est pourvue d'un support à pivot. Alvar Aalto (1898-1976), chef de file de l'architecture organique, commence par dessiner des pièces de mobilier pour les immeubles qu'il conçoit. Son intention est de remplacer la structure fine et légère du tube d'acier, qui ne lui donne pas satisfaction, par le bouleau ployé et lamellé sous l'effet de l'humidité, sans avoir à recourir à la vapeur, comme pour les meubles de Thonet. C'est ainsi que naissent tabourets, chaises, fauteuils, tables, chariots ou chaises

A gauche. Petit fauteuil « 150 A ». *Dessiné par Saarinen en 1956, ce fauteuil en fibre de verre renforcée et à base en aluminium offre un exemple de synthèse esthétique parfaite.*

En bas. Fauteuil. *Caractérisé par la forme très enveloppante du dossier-bras et dessiné par Le Corbusier en 1929, il est en tube d'acier et recouvert de cuir.*

A droite. Chariot. *Réalisé en bois de bouleau ployé, ce chariot dessiné en 1939 par Aalto applique les mêmes principes rationnels que le fauteuil « 39 » conçu pour le sanatorium de Paimio.*

longues au dessin vraiment incomparable, dans lesquels les joints sont souvent réalisés sans le recours à des éléments métalliques ; ces meubles sont caractérisés par la légèreté élégante des lignes et par un extraordinaire goût pour le matériau utilisé.

Une nouvelle forme technologique

Le design américain dans les années de guerre et d'après guerre s'oriente vers l'utilisation de techniques mises au point pour faire face aux nécessités de la période. C'est en ce sens qu'œuvrent Eames, Saarinen, Nelson et Bertoia, dont les meubles donnent naissance à un design de forme exubérante, tout en surfaces pures, en couleurs vives, en larges courbes et en espaces enveloppants. Conçus pour une production en série, ces modèles sont exécutés selon des techniques avancées et avec des matériaux

MARCEL BREUER
(1902-1981)
Architecte et designer d'origine hongroise, il étudie puis enseigne au Bauhaus. En 1937, il rejoint aux États-Unis Gropius, avec lequel il collabore pendant quelques années. Dès le début de son activité, il s'intéresse à la conception de meubles et dessine des pièces tout à fait remarquables.

LE CORBUSIER
(1887-1965)
Pseudonyme de Charles-Édouard Jeanneret ; né en Suisse, il s'installe bientôt à Paris, où il fonde la revue Esprit nouveau. *Dans les années 20, il dessine quelques meubles pour ses édifices, en collaboration avec son cousin Pierre Jeanneret et avec Charlotte Perriand. Théoricien et peintre, il est considéré comme étant l'un des plus grands novateurs du XXe siècle.*

ALVAR AALTO
(1898-1976)
L'un des plus grands architectes et designers finlandais. Avec la collaboration de sa femme Aimo, il commence à dessiner des meubles en 1930, mettant à profit les qualités du bouleau ; en 1931, il fonde la firme Artek pour produire et diffuser ses pièces de mobilier.

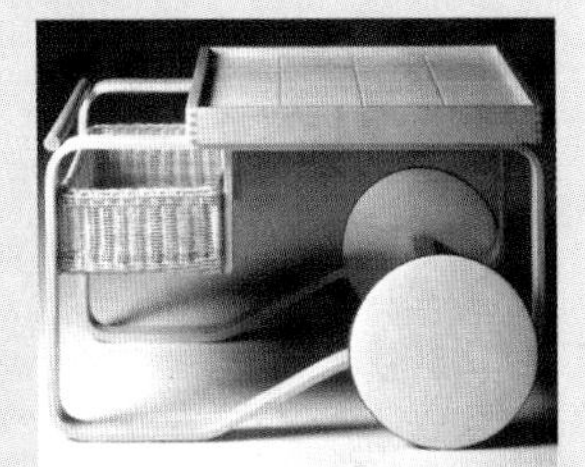

CHARLES EAMES
(1904-1978)
Architecte et designer américain, ses meubles sont caractérisés par des formes tridimensionnelles, fruit d'une technique avancée, sur lesquelles il expérimente de nouveaux matériaux. En 1941, il fonde, avec sa femme Ray, la Plyformed Products Company, destinée alors à fabriquer directement et plus librement ses meubles.

GIUSEPPE TERRAGNI
(1904-1942)
Plus important architecte rationaliste italien, il dessine une série de meubles inspirés des théories du Bauhaus et destinés à trouver place dans les édifices qu'il conçoit, tels que la Casa del Fascio et l'école Sant'Elia à Come, et la Villa Bianca à Seveso.

FRANCO ALBINI
(1904-1977)
Architecte et designer italien ; son œuvre représente une synthèse de la tradition italienne et de l'analyse des structures et leurs articulations, dont l'origine culturelle est à rechercher dans l'enseignement du Bauhaus.

Ci-dessous. Longue chair. *Dessiné par Eames en 1956, ce fauteuil est incontestablement son meuble le plus fameux. Caractérisé par une forme modulée et très enveloppante; il offre un exceptionnel confort.*

En bas. Fauteuil « 39 ». *Conçu par Aalto en 1937, ce fauteuil possède une structure souple en bouleau ployé.*

nouveaux, comme le polyester renforcé de fibre de verre, l'aluminium moulé sous pression, la fibre de verre, les résines synthétiques. Charles Eames (1904-1978) et Eero Saarinen (1910-1961) – fils d'Eliel Saarinen, également célèbre – dessinent, en 1941, un siège révolutionnaire à trois dimensions, dont la forme évasée sera utilisée par de nombreux designers jusqu'au tout début des années 60. Le meuble le plus connu dessiné par Eames est indéniablement le fauteuil *longue chair* de 1956, dont la forme plastique et très enveloppante est particulièrement confortable ; il offre un siège tout en contre-plaqué moulé, le bâti est en bois de rose et garni de coussins en cuir rembourré. Saarinen conçoit des formes plus ramassées, fines et élégantes, comme les meubles de la série « Tulipe », dont le superbe petit fauteuil « 150 A » est réalisé en fibre de verre, renforcé et moulé, avec la base en contre-plaqué moulé. George Nelson (1908-1986), également connu comme organisateur dans la firme Herman Miller, figure parmi

Le mobilier en tubes d'acier chromé

C'est dans les années 20 que naît le mobilier en tubes métalliques chromés, fruit de recherches simultanées, mais indépendantes, de certains dessinateurs : Stam, Breuer, Le Corbusier, Mies van der Rohe et d'autres, qui partagent l'exigence de concilier forme, fonctionnalité et production en série. Dès le début, le matériau utilisé est le tube d'acier : s'il nécessite une technique de ployage très au point, il offre en revanche une résistance et une souplesse tout à fait exceptionnelles. Stam, notamment, utilise le premier, pour sa chaise « S 34 », une unique pièce métallique à courbe continue formant le dossier, le siège, les pieds avant et aussi la base : l'absence de support arrière est compensée par la résistance de l'acier et permet une sorte de suspension très confortable. Stam parvient à ce résultat à partir de divers prototypes réalisés en prévoyant un tube intérieur de renfort. A côté de cette chaise, dans laquelle les extrémités du tube sont soudées et assurent à la chaise elle-même une parfaite stabilité, Breuer en propose une autre, d'exécution plus rapide et plus simple : les extrémités de la pièce d'acier ne sont pas reliées, mais la structure est bloquée par les bâtis du siège et par ceux du dossier.

A droite. Fauteuil « Fiorenza ». *Dessiné par Albini, il est pourvu d'un support en hêtre en forme de X, sur lequel repose le dossier, garni de confortables oreilles, et d'un coussin pour le siège.*

En bas. Chaise « Lariana ». *Dessinée en 1936 par Terragni, cette chaise en tube d'acier continu et contre-plaqué est une variante de la célèbre chaise en porte-à-faux.*

les grands artisans du design américain. On lui doit notamment la chaise « Pretzel », à l'élégant dossier qui s'incurve pour former les bras, et la très synthétique « Coconut chair », large fauteuil formé d'un siège triangulaire, constitué d'une unique pièce supportée par trois pieds en acier chromé. Harry Bertoia (1915-1978) est connu pour ses chaises en fils de fer formant coquille, qui représentent la tentative la plus réussie pour transformer un objet pratique, comme un siège, en un meuble-sculpture, sans pour autant renoncer à l'indispensable confort.

Le design italien

Dans les années 30, avec l'affirmation en Europe de la production de meubles et d'objets fabriqués en série, toute une génération de jeunes architectes et designers italiens commence à concevoir les intérieurs dans un esprit radicalement nouveau. L'attitude ambiguë du fascisme vis-à-vis des partisans du moderne, du moins jusqu'au milieu de la décennie, autorise la libre circulation des idées progressistes, qui s'expriment jusque dans les édifices officiels, comme dans la Casa del Fascio (siège du parti

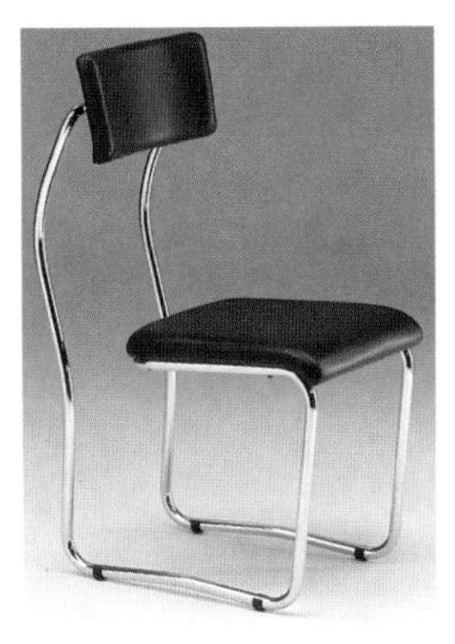

national fasciste) à Come, conçue en 1934 par Giuseppe Terragni. Pour cet édifice et d'autres, Terragni dessine une série de meubles de facture élégante et raffinée réalisée en tube chromé. La présence stimulante de la Triennale favorise l'échange des expériences qui ont mûri dans toute l'Europe. La naissance de revues spécialisées relance le débat et encourage la conception d'œuvres de plus en plus originales, utilisant le fer et l'acier, mais aussi des matériaux nouveaux comme le linoléum, la masonite et le « securit ». Au cours de ces années s'illustrent des architectes comme Franco Albini, Gabriele Mucchi, Piero Bottoni, Luigi Figini et Gino Pollini, qui produisent des meubles intéressants, de structure rationnelle, mais restant souvent à l'état de prototypes. Cependant, en Italie comme en Allemagne, le processus antilibertaire entraîne un net retour aux

◆ Lit. Le dessin de plus en plus fonctionnel réduit son caractère monumental ; les lignes se simplifient, tandis que diminue l'importance des montants, qui sont moins apparents et finissent par disparaître. Les matelas à ressorts peuvent remplacer les matelas traditionnels, parfois également le bâti, le chevet se transforme en espace de rangement, affectant la fonction des tables de nuit.

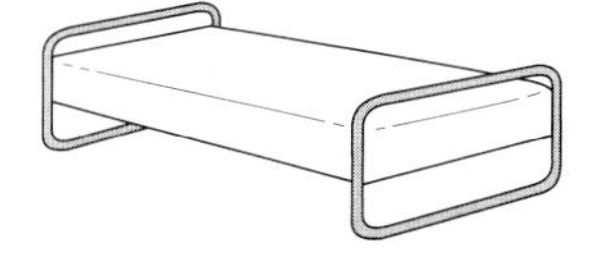

◆ Armoire. Elle a toujours une place importante, mais elle se transforme en un espace de rangement de ligne géométrique, composé d'éléments modulaires. En raison des nouvelles tendances, sa dimension s'accroît ; elle se remplit de casiers et de tiroirs, qui font fonction de commode.

◆ Fauteuils. Ils deviennent, avec les chaises, le domaine d'expérimentation de nombreux concepteurs ; les nouveaux matériaux permettent de les réaliser dans des formes suggestives et avec de nouveaux niveaux de confort.

◆ Chaise longue. La faveur que connaît ce fauteuil particulier se prolonge au cours des années. Il change plusieurs fois d'aspect, s'enrichit de mouvements et mécanismes qui en augmentent le confort. On exploite parfois la souplesse des matériaux utilisés pour le rendre plus malléable.

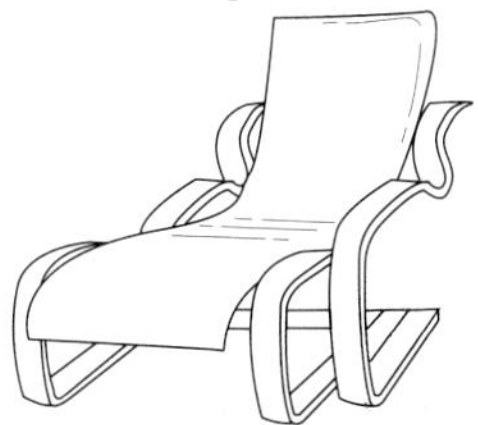

Ci-dessous. Chaise « Superleggera ». *Robuste et légère, cette chaise a été exécutée en 1957 par Ponti, avec du bois de frêne peint ; le siège est en roseau d'Inde tressé.*

En bas. Petite table. *Dessinée par Mollino en 1950, elle est faite d'une unique feuille de contre-plaqué ajouré, avec un plateau en verre galbé.*

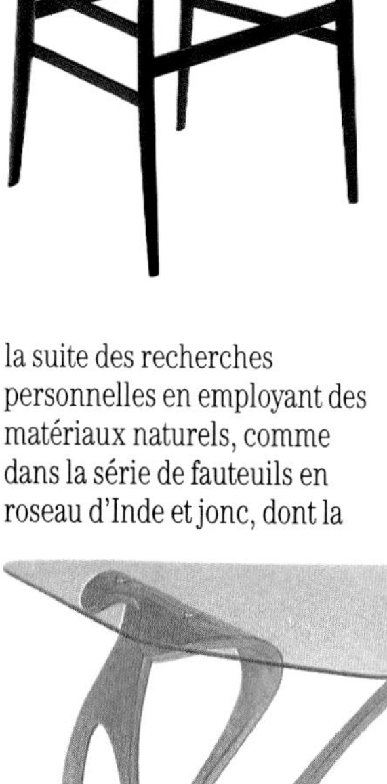

styles classiques, avec tout leur cortège de rhétorique, qui balaiera en l'espace de quelques années toute illusion moderniste. On enregistre dans l'après-guerre une activité fébrile, la Triennale reprend son activité, jouant un rôle important d'information sur le design international. Un nouveau groupe de designers s'affirme : Osvaldo Borsari, Marco Zanuso, Ettore Sottsass, Carlo Mollino, Ico Parisi se joignent aux vétérans Ponti et Albini. Giò Ponti poursuit son activité, créant des meubles d'une rare élégance, reposant tous sur une étude attentive des matériaux, comme dans la célèbre chaise « Superleggera » (superlégère) de 1957, réalisée avec un fin bâti en frêne et un siège en roseau d'Inde. Franco Albini, qui se distingue avant la guerre par sa production de meubles fortement marqués par la technologie, comme l'étrange bibliothèque en bois, fer et verre de 1938, conduit par la suite des recherches personnelles en employant des matériaux naturels, comme dans la série de fauteuils en roseau d'Inde et jonc, dont la « Gala » de 1951. Carlo Mollino (1905-1973) est une figure excentrique et singulière dans le panorama du design italien. Ses meubles, d'une extrême originalité à la fois de forme et de structure, apparaissent comme de véritables sujets antropomorphes, dont les contorsions donnent lieu à des cloisons porteuses : c'est le cas, par exemple, de ses tables où une unique pièce en contre-plaqué ployé et percé à diverses reprises supporte des tablettes de verre de forme particulièrement libre.

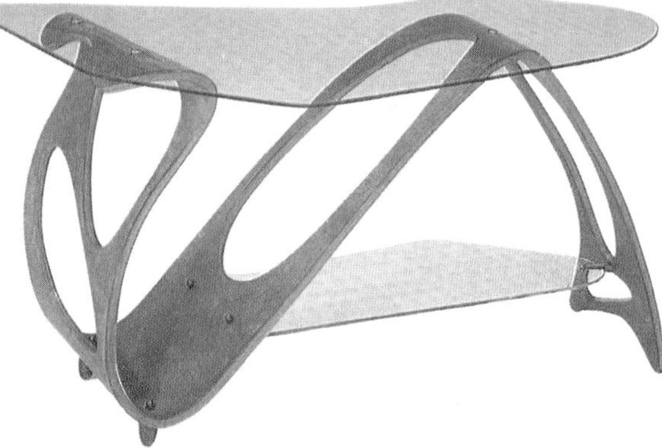

◆ Divans. Ils commencent par avoir le même dessin que les fauteuils qu'ils accompagnent généralement ; conçus ensuite comme des meubles autonomes, ils acquièrent une indépendance formelle accrue. Les divans transformables en lits (*voir* figure), pour lesquels on imagine des mécanismes de plus en plus efficaces, se multiplient. La liberté de conception permet de faire coexister des formes carrées et arrondies, selon les orientations différentes des designers, qui s'accordent tous à employer matériaux et technologies avancés.

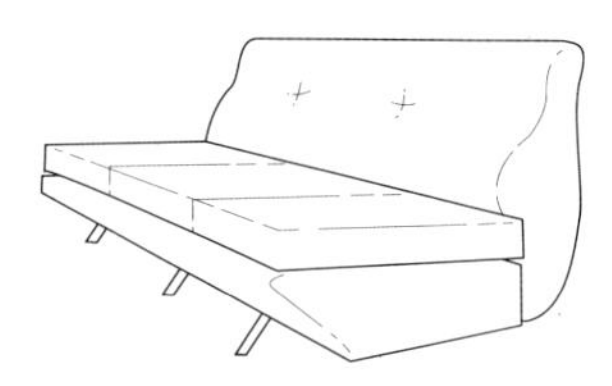

◆ Tables. Suivant les principes du design industriel, les tables conçues pour la maison et celles pour le bureau sont pour ainsi dire semblables. L'usage du verre, du fer, du tube d'acier chromé coexiste avec le goût pour le bois, reproposé avec conviction par le mobilier scandinave. Les lignes s'affinent, l'emploi de nouveaux matériaux, comme l'aluminium moulé et le plastique, permet de créer des dessins nouveaux : ainsi la forme en corolle.

CARACTÉRISTIQUES DU MOUVEMENT MODERNE

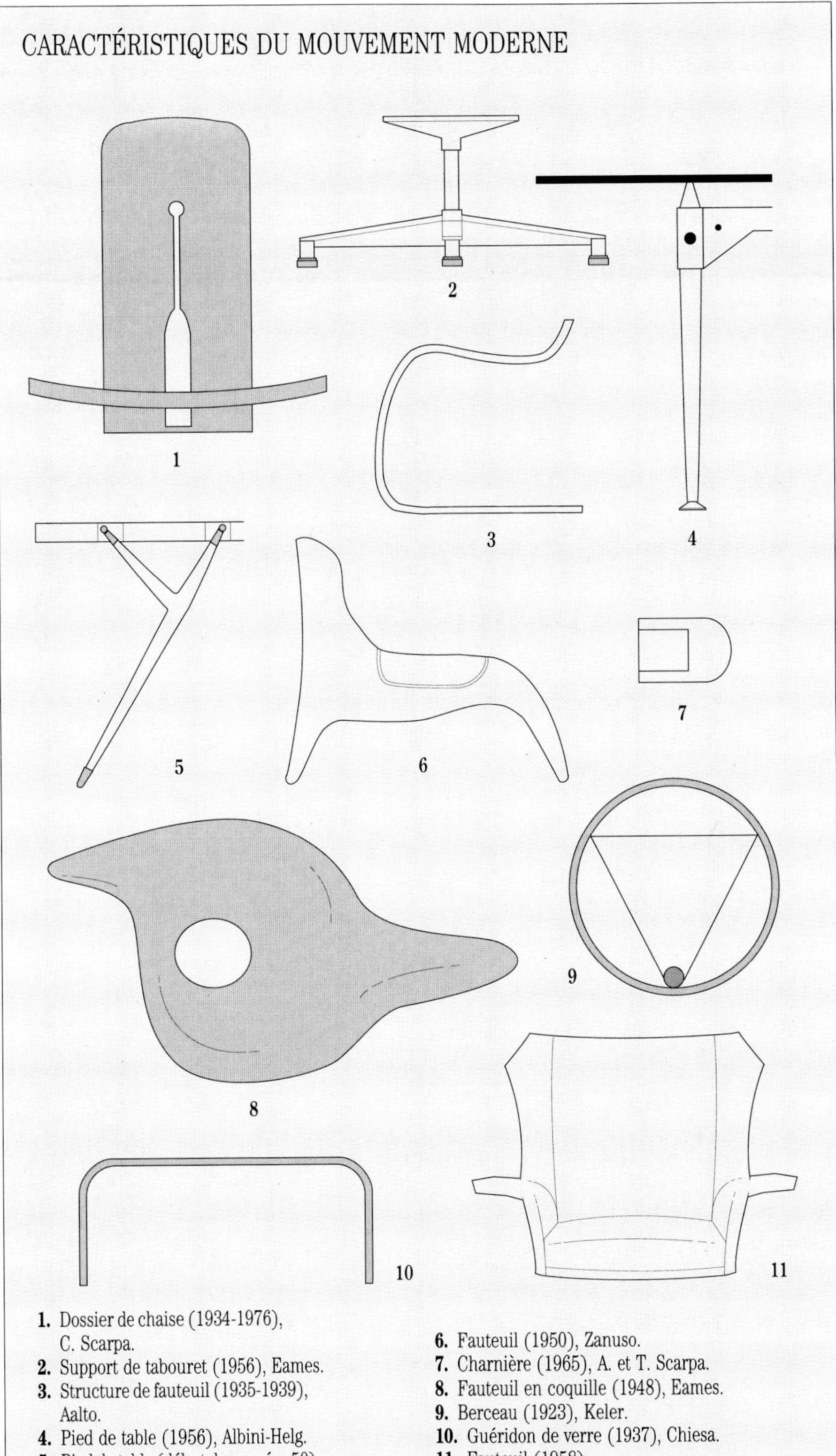

1. Dossier de chaise (1934-1976), C. Scarpa.
2. Support de tabouret (1956), Eames.
3. Structure de fauteuil (1935-1939), Aalto.
4. Pied de table (1956), Albini-Helg.
5. Pied de table (début des années 50), Parisi.
6. Fauteuil (1950), Zanuso.
7. Charnière (1965), A. et T. Scarpa.
8. Fauteuil en coquille (1948), Eames.
9. Berceau (1923), Keler.
10. Guéridon de verre (1937), Chiesa.
11. Fauteuil (1958), Belgioioso-Peressutti-Rogers.

Intérieurs du XXe siècle

◆ Vers la fin du XIXe siècle et au tout début du XXe, la décoration retrouve une image unitaire grâce au modernisme. Dans l'immédiat après-guerre, ce changement prend la forme plus radicale de mouvements d'avant-garde comme le Bauhaus en Allemagne, l'Esprit nouveau en France et le De Stijl en Hollande. Au cours de ces années, les intérieurs et le mobilier Art déco représentent une élégante et joyeuse parenthèse ; les artistes y expriment leur chant du cygne face à l'irrésistible industrialisation, proposant des couleurs et des formes plus proches de l'œuvre d'art que de l'artisanat. L'adhésion des designers et des architectes aux procédés de la production industrielle permet en revanche des projets qui modifient profondément les systèmes d'habitation. Les nouvelles maisons proposent une distribution dynamique des intérieurs ; le couloir tend à disparaître, tandis que la salle de séjour devient le cœur de la maison. Les pièces spécialisées, comme la cuisine et la salle de bains, deviennent des endroits ultrafonctionnels où chaque élément du décor est rigoureusement produit en série et incorporé dans un espace qui peut être également réduit au minimum. Tout devient rationnel, chaque objet est conçu pour être fabriqué en de multiples exemplaires, avec des matériaux tels que l'acier, l'aluminium et le plastique.

Ci-dessus. Salle à manger. *Cette aquarelle, publiée en 1900 dans la revue* The Studio, *témoigne du goût raffiné de Baillie Scott dans la décoration d'intérieurs de type campagnard. Le décor floral des murs, les éléments ajourés des meubles et les tapis dénotent une adhésion modérée au goût Liberty. R. Scott,* Intérieur *(vers 1900).*

Ci-dessous. Salle à manger. *Conçu pour un concours organisé en 1901, cet intérieur de Mackintosh montre les éléments typiques du style de ce maître du Liberty anglais : verticalité et extraordinaire élégance formelle. Le décor, bien que réduit au strict minimum, exprime la délicate atmosphère florale dans l'ordonnance géométrique, quasiment abstraite. C.R. Mackintosh,* Intérieur. *Mackintosh Collection, Hunterain Art Gallery, université de Glasgow.*

A gauche. Chambre à coucher. *Peinture datée du tout début du XXe siècle ; cette pièce romaine témoigne de la vogue des décors blancs au cours de cette période. L'absence de décorations montre l'évolution du goût vers une plus grande rationalité. C. Innocenti,* En retard. *Galerie nationale d'art moderne, Rome.*

Ci-dessous. Chambre à coucher. *Aquarelle de 1906 représentant une pièce du château de Giessen ; le goût viennois d'Olbrich est manifeste dans la décoration géométrique des murs et dans les panneaux à fleurs de l'alcôve. Détail intéressant : la place, en angle, du lit. J.M. Olbrich,* Intérieur. *Kunstbibliothek, Berlin.*

A droite. Intérieur. *Les intérieurs réalisés par Rietveld en 1924 témoignent des liens manifestes entre la forme des meubles et l'espace où ils sont placés. L'intersection des plans, l'utilisation des lignes et de la couleur tendent à conférer une image d'unité et de dynamisme, avec des résultats totalement nouveaux. G.T. Rietveld,* Intérieur de la Schröder Huis à Utrecht.

Crédits illustrations

Les abréviations h, b, g, d se rapportent à la place de l'illustration dans la page (h = haut, b = bas, c = centre, g = gauche, d = droite).

Musées et collections

Académie Carrare, Bergame, p. 47hg
Avec l'autorisation de la marquise de Cholmondeley, p. 99hd
Avec l'autorisation de Sa Majesté la reine Élisabeth II d'Angleterre (bibliothèque du château de Windsor), pp. 151b, 152h, 153h
Bibliothèque Bodleiana, Oxford (Collection John Johnson), p. 154h
Bibliothèque Forney, Paris, 150h
Bibliothèque nationale, Cabinet des estampes, Paris, pp. 11, 104h
Bildarchiv Preussischer Kultubesitz, Berlin, pp. 149hg, 189c
City of Salford Art Galleries and Museum, Salford, p. 142
Cliché Musées nationaux, Paris, pp. 29, 40h
Collection capitaine F. Tyrwhitt-Drake, p. 100h
Collection Contini Bonaccossi, Florence, p. 48h
Collection royale anglaise, p. 149hd
Collection particulière, Zurich, p. 48cd
Collection particulière danoise (photo du Musée national, Copenhague), p. 102h
Collection Thyssen Bornemisza, Lugano, p. 99b
Cooper-Hewitt Museum, the Smithsonian Institution's National Museum of Design, New York, p. 103c
Danske Kunstindustrimuseum, Copenhague, p. 160b
Fondation Le Corbusier, p. 190c
Fürstlich Leiningensche Verwaltung, Amorbach, p. 152c
Galerie de l'Académie, Venise, p. 47hd, cg
Galerie du Palazzo Rosso, Gênes, p. 47b
Galerie nationale, Budapest (photo archives Corvina due à Alfred Schiller), p. 153b
Galerie Sabaudia, Turin, p. 47
Garrison, New York (grâce à l'obligeance de Roland A. De Silva), p. 115
Gebrüder Thonet, Frankenberg, p. 124
Hessischen Landesmuseum, Darmstadt, p. 157b
Historisches Museum der Stadt Wien, Vienne, p. 151c
Hunterian Art Gallery, université de Glasgow, Glasgow, p. 186b
Jocelin Fielding Fine Art Ltd, Angleterre, p. 102b
Kunsthandel Schlichte Bergen, Amsterdam, p. 98a
Metropolitan Museum of Art, New York, pp. 98b, 103h
Musée archéologique, Florence, p. 10
Musée de l'Annonciade, Saint-Tropez, p. 154b
Musée des Arts décoratifs (photo Sully Jaulmes), Paris, pp. 82b, 160h, 168h, b
Musée municipal, Stockholm, p. 150c
Musée national, Stockholm, p. 101b
Museum of Art Rhode Island School of Design, p. 118
Museum of Fine Arts, Boston (photo E.H. Van Der Neer), p. 48cg
Museum Winterthur, Delaware (grâce à l'obligeance de Henry Francis du Pont Winterthur), pp. 116h, b, 117
National Gallery, Londres, p. 100c, b
National Trust, Angleterre, p. 101c
Nelson-Atkins of Art, Kansas City, Missouri, p. 99hg
Nordenfjelske Kunstindustrimuseum, Trondheim, p. 161h
Réunion des Musées nationaux, Paris, pp. 68h, 86
Royal Collection, Londres, p. 53
Schlöss Wolfsgarten, Hessen, p. 163
S.M. Novella, Florence, p. 46b
SS. Annunziata, Florence, p. 46b
Staatliche Schlösser und Gärten, Berlin, p. 69
Städelches Galerie, Francfort-sur-le-Main (photo Jürgen Hinrichs Artothek, Planegg) p. 48bd
Stadmuseum, Munich, p. 162
Studio per Edizioni Scelte, Florence, p. 104b
The Art Institute, Chicago, p. 173b
The Birmingham Museum of Art Gallery, p. 99c
The Minneapolis Institute of Arts, p. 48bg
Università Iaghellona, Cracovie, p. 149c, b
Victoria and Albert Museum, Londres, pp. 22, 23, 42, 50, 52, 74h, 76, 77b, 78, 80, 84, 102c, 128, 138, 144, 145h, b, 146, 150b, 152b
Wallace Collection, Londres (avec l'autorisation de The Trustees), p. 54

Photographes

L'éditeur tient à remercier le professeur Sergio Coradeschi, Agent Foto, Jorg. P. Anders, Alfredo Anghinelli, les archives photographiques Mondadori, le centre iconographique I.G.D.A., Foto Saporetti, Fotoservice, Giacomelli Giraudon, J. Gismondi, Michael Holford, Image Word, Istituto Fotografico Editoriale Scala, Kodansha, Giampero Marchiorio, Mary Evans Picture Library, Georg Mayer, R.H. Mellish, Toni Nicolini, M. Paltrinieri, Photo Hubert Josse, Photo Hutin, Photo Service groupe éditorial Fabbri, Photo Studio Image, Marcello Radogna, Giustino Rampazzi, Studio Baroni, Studio Fotografico Chomon, Thomas Photo. L'éditeur remercie tout spécialement pour leur aimable coopération Case d'Aste Finarte, Semenzato et Sotheby's, et les firmes dont les noms suivent : Arflex S.p.A., Cappellini International Interiors, Cassina S.p.A. Finn Form, ICF S.p.A., Images Kaleidos, Knoll International, Pallucco Italia, Zanotta S.p.A.

INDEX